Sylvie MEYER-DREUX
avec la collaboration de Michèle GARABÉDIAN
et Magdeleine LERASLE

27, rue de la Glacière. 75013 Paris.

Je tiens à remercier tout particulièrement Martine Langlois
qui trouvera dans TRAMPOLINE
les traces de nos échanges nombreux et fructueux.
S.M.-D.

Nous remercions les Éditions MAGNARD-JEUNESSE
qui nous ont permis d'utiliser le titre « TRAMPOLINE ».
Titre de plusieurs albums de la collection
Mini Lire 3-5 ans, auteur Odile CAUCAT.

Illustrations
Christian Arnould
René Cannella
Yves Guézou
Rémy Saillard

Références photographiques

p. 8h : Gauvreau; p. 8bg : Alexandre Faldine et Rachit Akmanov; p. 8bm : Banesto; p. 8bd : Miro-Meccano S.A.; p. 16hg : Gauvreau; p. 16hd : Rapho, Ciccione; p. 16bg : Gauvreau; p. 16bd : Gauvreau; p. 29g : Rapho, Rega; p. 29mg : Scope, Sudres; p. 29md : Rapho, Rausch; p. 29d : Rapho, Jeanbrau; p. 34hg; Rapho, Courtinat; p. 34hd : Rapho, Gile; p. 34m : Rapho, Pickerell; p. 34bg : Explorer, Errath; p. 34bd : Rapho, Cléry; p. 52 : Stratus; p. 55g : D.R.; p. 55mg : Marie Claire Enfants, Sacha; p. 55md : D.R.; p. 55d : 100 idées, Clergue; p. 70hg : Rapho, Hermann; p. 70hd : Explorer, Gleizes; p. 70md : Rapho, Doisneau; p. 70bg : SDP, Gomes-Pulido; p. 70bd : SDP, Gaveau; p. 73bd ; Courte-Paille; p. 80 : Gauvreau; p. 88hg : Explorer, Errath; p. 88hd : Explorer, Veiller; p. 88mg : Rapho, Larrier; p. 88md : Jerrican, Gallia; p. 88bg : Scope, Guillard; p. 88bd : SDP, Panier; p. 89hg : Gamma, Stevens; p. 89hd : Jerrican, Sebart; p. 89mg : Gamma, Poincet; p. 89md : Diaphor, Le Brun; p. 89b : RATP.

Conception graphique : STRATUS - Evelyn Audureau
Couverture : Christian Arnould et STRATUS
Iconographie : Atelier d'Images
Coordination artistique : Catherine Tasseau
Fabrication : Pierre David
Paroles et musique : Pierre Lozère
Édition : Michèle Grandmangin

Sommaire

BANDE DESSINÉE

REPORTAGE

JEU

FRANÇAIS INFO

écoute

regarde

cherche - trouve

parle - raconte

écris

dessine

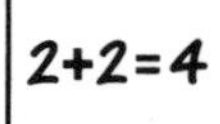

compte

lis

SPECTACLES

comptines
poésies
chansons

météo

LE PETIT DICTIONNAIRE

TRAMPOLINE
1
BD
RUE D'ALÉSIA
21, rue d'Alésia
FRANÇAIS INFO
Et toi?
REPORTAGE
écoles
en France
JEU
SPECTACLES
météo
LE PETIT
DICTIONNAIRE
un cartable
a, b, c, d, e, f
0, 1, 2, 3, 4, 5
Septembre
Octobre
Novembre

Bonjour, Paris!

Au revoir !

Frédéric !
Ah oui !
Non, Marc !

Bonjour, Vincent.
Bonjour, madame.
Au revoir, Julie.
LIBRAIRIE • PAPETERIE •
21
Au revoir, madame.
Bonjour, monsieur.

FRANÇAIS INFO

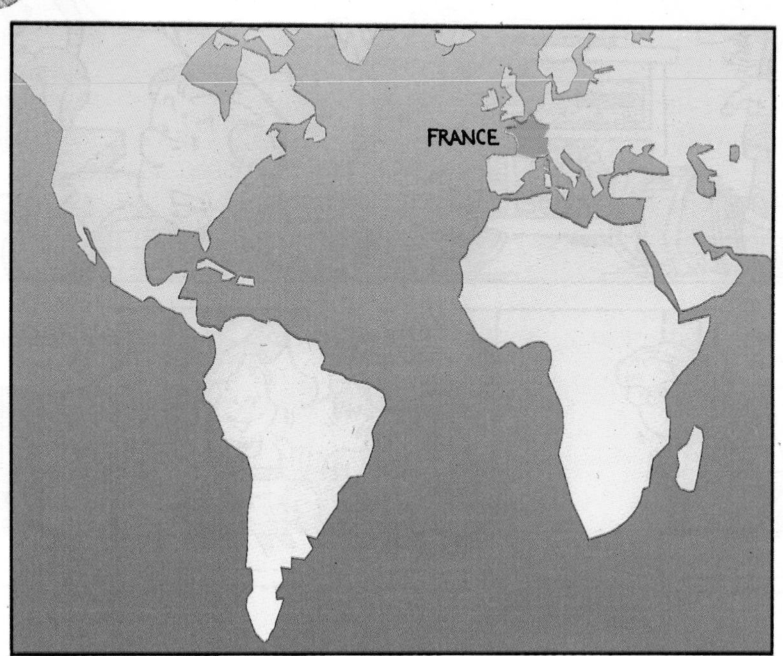

En France

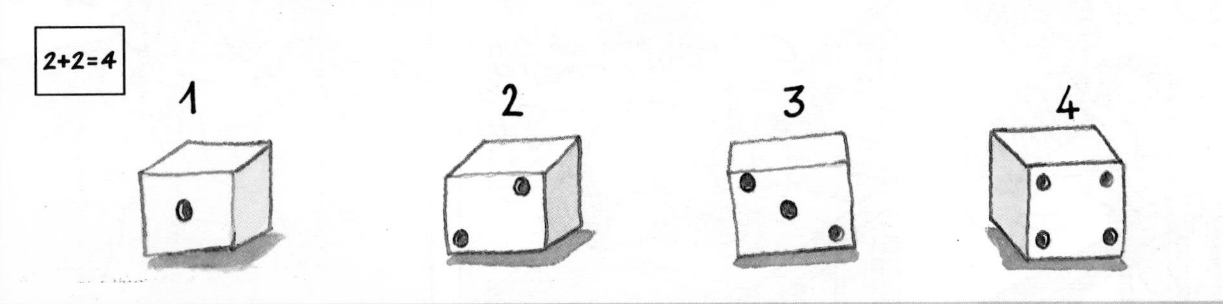

La rentrée des classes

2+2=4

1 2 3 4 5 6

Une chanson

Sur le pont d'Avignon,
On y danse, on y danse,
Sur le pont d'Avignon,
On y danse tout en rond. *(bis)*

Les belles **dames** font comme ça,
Et puis encore comme ça.
(Refrain)

Les beaux **messieurs** font comme ça,
Et puis encore comme ça.
(Refrain)

Une comptine

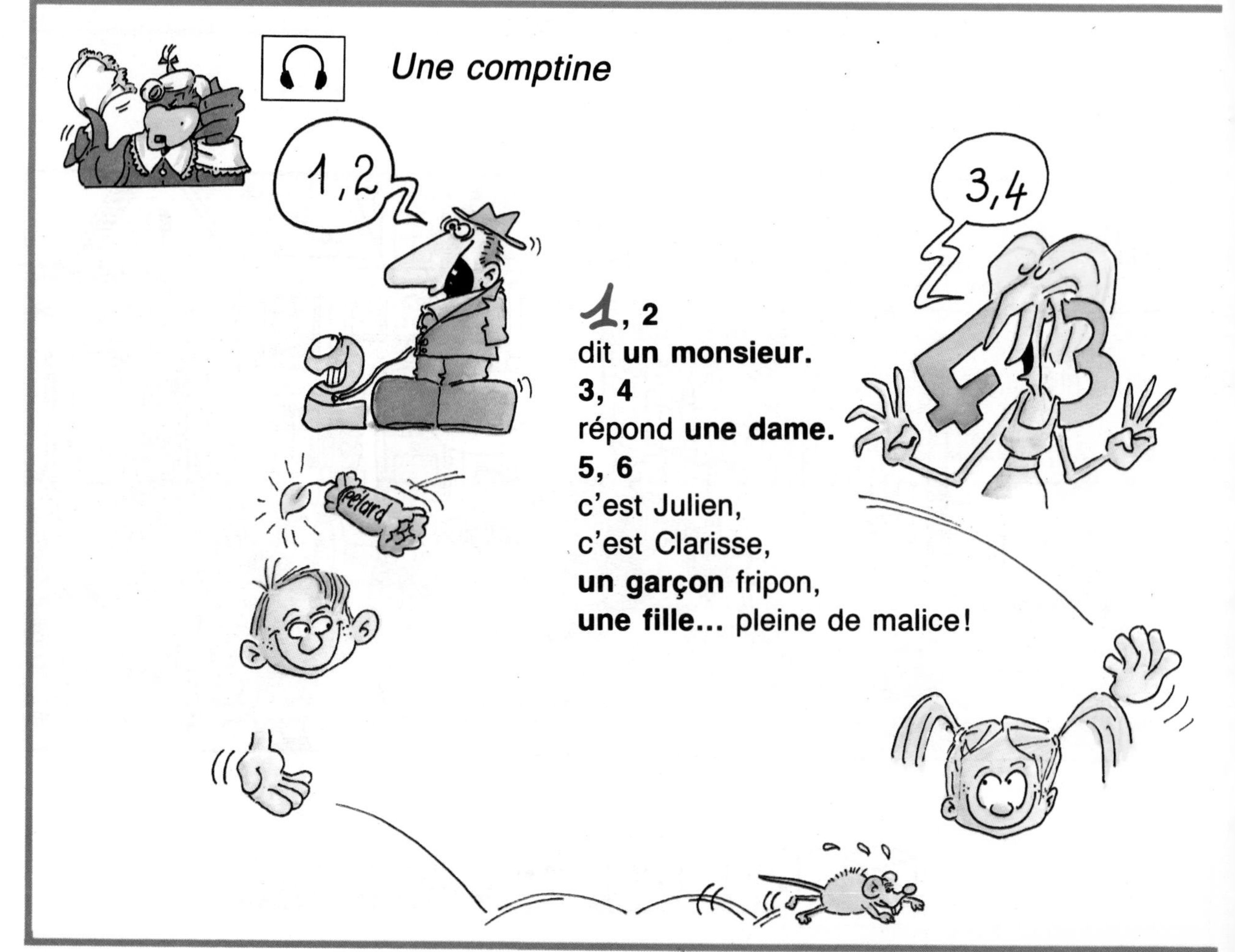

1, **2**
dit **un monsieur.**
3, 4
répond **une dame.**
5, 6
c'est Julien,
c'est Clarisse,
un garçon fripon,
une fille... pleine de malice!

Jako devinette

JEU

À l'école

C'est un cartable ?

Dans la cour

ECOLE PRIMAIRE

Tiens salut Julie, ça va ?

Salut Charlotte, ça va merci.

Salut Camille, ça va ?

MARSEILLE 0
LILLE 2
MARSEILLE 0
LILLE 5

?
a, b, c,
d, e,
arrivée
?
2
1
3

À l'école, en France

Bataille de l'alphabet

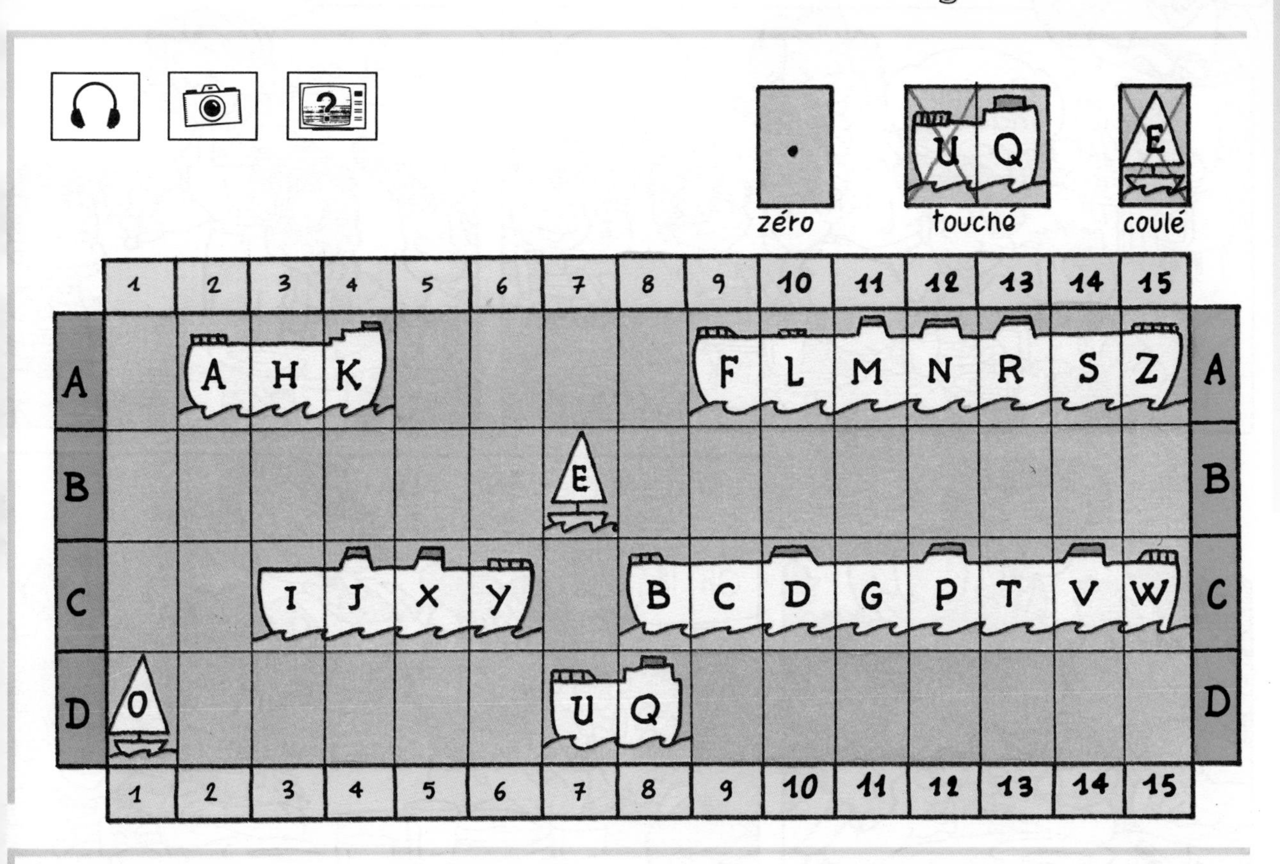

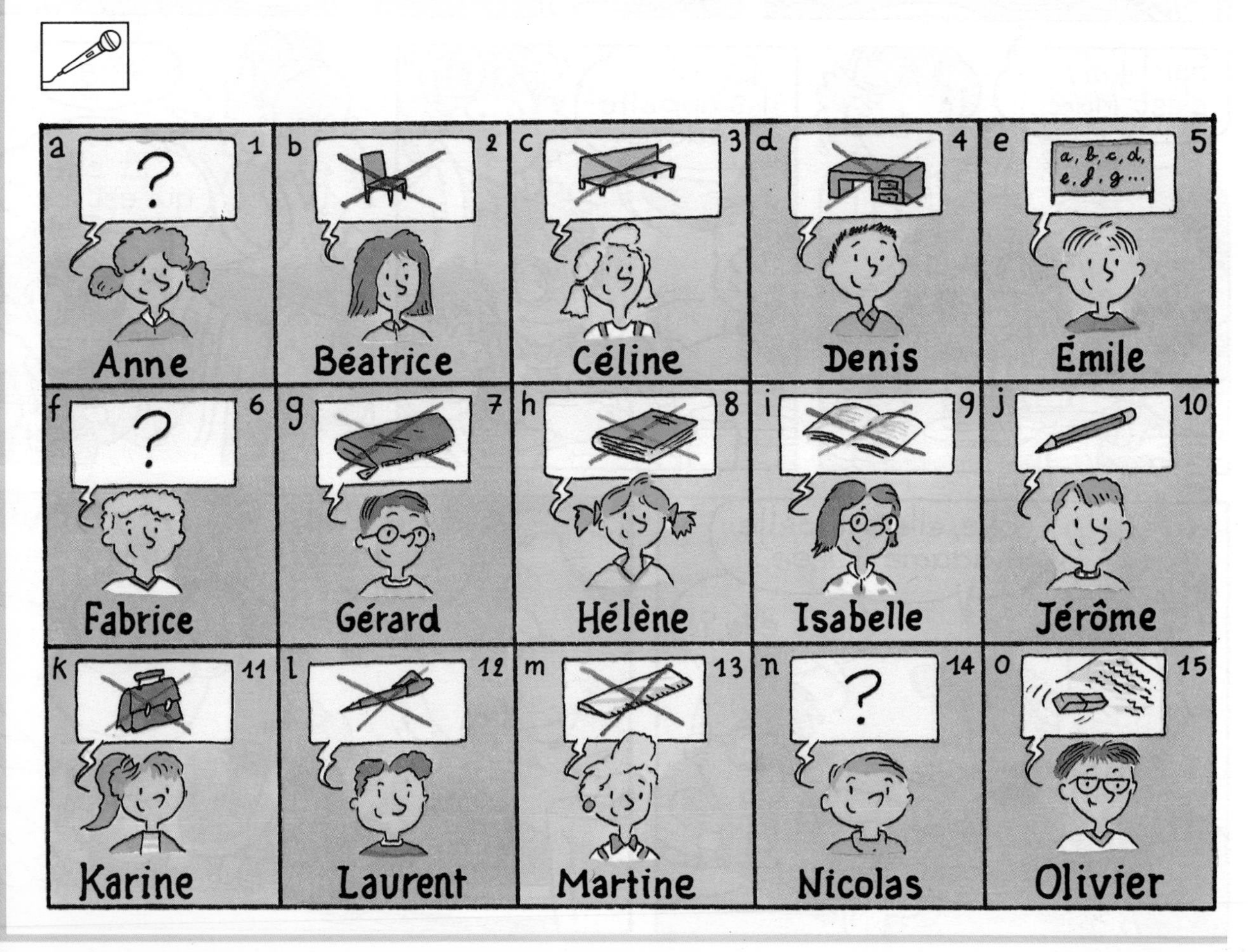

À la cantine

A table !
Bonjour, madame.
1.2.3.4..

... 5 . 6...
Qui est-ce?

Lui, c'est Frédéric... Non, ce n'est pas Frédéric. Il s'appelle Marc... Oh, là, là...

Bon ! Lui, c'est Marc...

...Et lui, il s'appelle Frédéric.

...7...8...
Et elle, qui est-ce?

Elle, elle s'appelle madame "Purée".
Et elle ?!

Elle, elle s'appelle Titine !

1, 2, 3 ... elle 4, 5, 6 ... lui
1, 2, 3, soleil !
p Pauline
q Quentin
r Rémi
s Sylvie
t Thomas
u Ursule
v Valérie
w William
x Xavier
y Yolande
z Zoé
a... M... z ?

2+2=4
?
?
1
2
3
4
5
6
7
8
9
10
11
12
13
14
15
16
17
18
19
20

JEU

La rentrée des classes

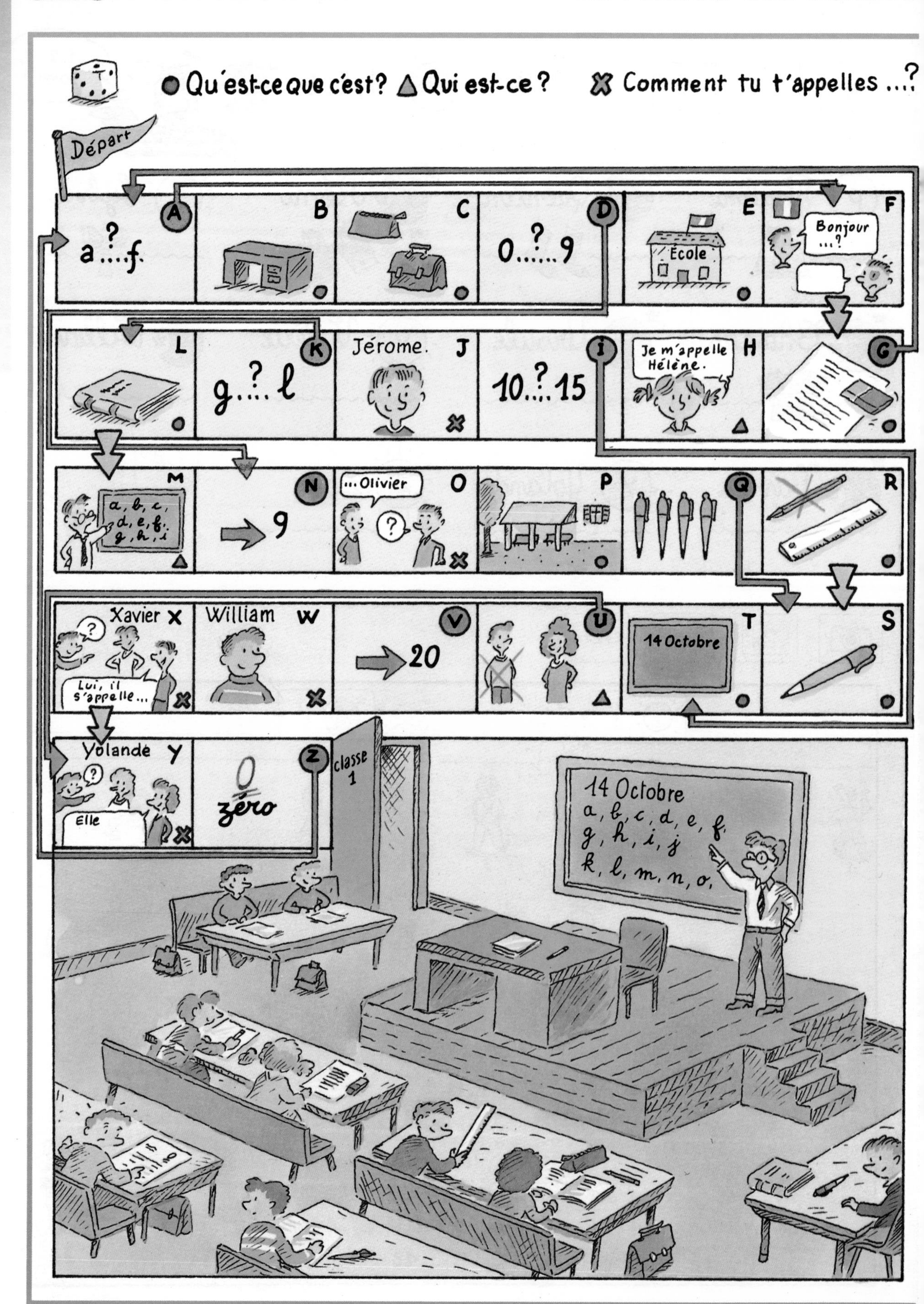

1, 2, 3, j'irai dans les 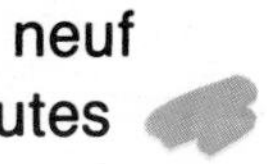
4, 5, 6, cueillir des
7, 8, 9, dans mon neuf
10, 11, 12, elles seront toutes

Comment **tu t'appelles?**
Je m'appelle Gisèle.
Comment ça va?
Ça va, ça va!

Comment il s'appelle?
Il s'appelle Michel.
Comment ça va?
Ça va, ça va!

Et elle, comment s'appelle-t-elle?
Elle, **elle s'appelle** Rachel.
Et lui, comment s'appelle-t-il?
Lui, **il s'appelle** Émile.

Alors, ça va bien?
Ça va très bien.
Merci,
Denis!

Météo

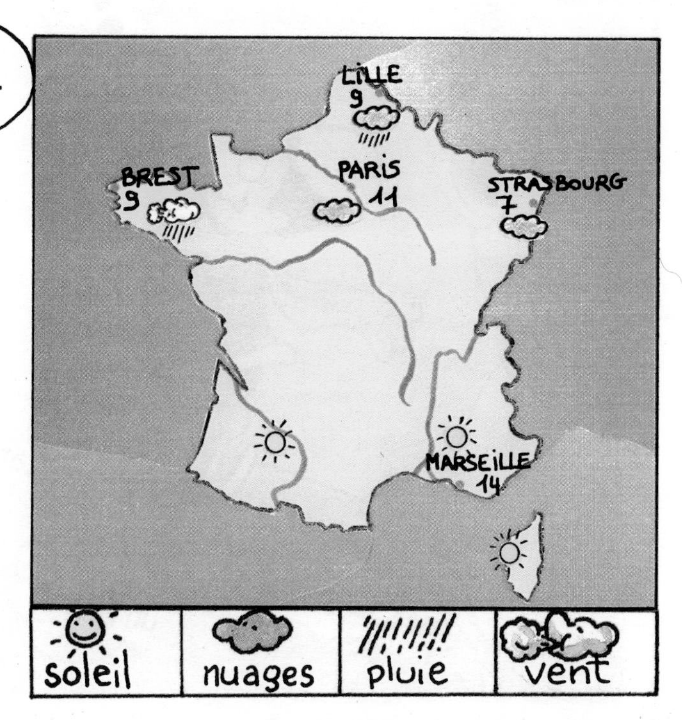

LE PETIT DICTIONNAIRE

TRAMPOLINE
2
LE PAPETERIE
LIRE
BD
papa! maman!
FRANÇAIS INFO
de quel pays...?
REPORTAGE
les métiers
JEU
SPECTACLES
poème
LE PETIT DICTIONNAIRE
l'immeuble
Septembre
Octobre
Novembre
Décembre
Janvier

Merci, merci Gene, François...

Oui, oui, je suis de Toronto.

Deux heures plus tard...
BERTAUX

Ça ne va pas, monsieur Bertaux?
Ah non, Julie. Pas du tout.
LULU

Oh merci, merci monsieur ?

Monsieur Diop. J'habite ici au 3 ème

BERTAUX

Ah! Merci, merci...

FRANÇAIS INFO

Cartes postales

?

À l'Alliance Française

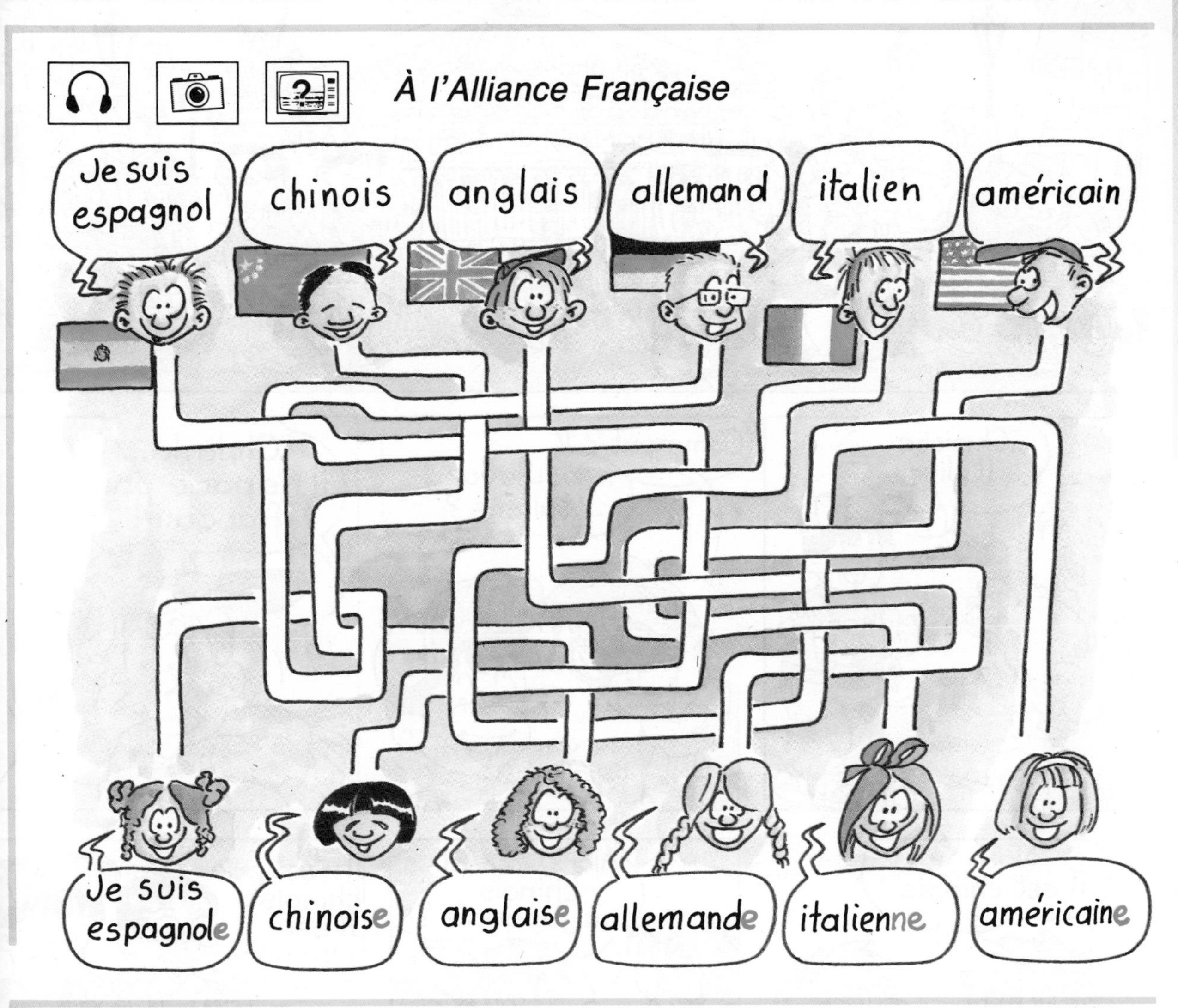

Brrr
Place de l'Opéra

...Cherche
...Italiens

Comment ?
... boulevard
...Italiens ?

Oh, là, là...
il ne parle pas
français !

Non,
il est chinois
Mais non, il
n'est pas chinois.
Il est japonais.

Alors, vous êtes
chinois
ou japonais ?

Il n'est pas
chinois.
Il est
japonais.

Il parle japonais et moi aussi.
Mais je parle un peu le français.
A Paris, j'habite rue des Écoles
et toi, tu es français, tu
habites où ?

?

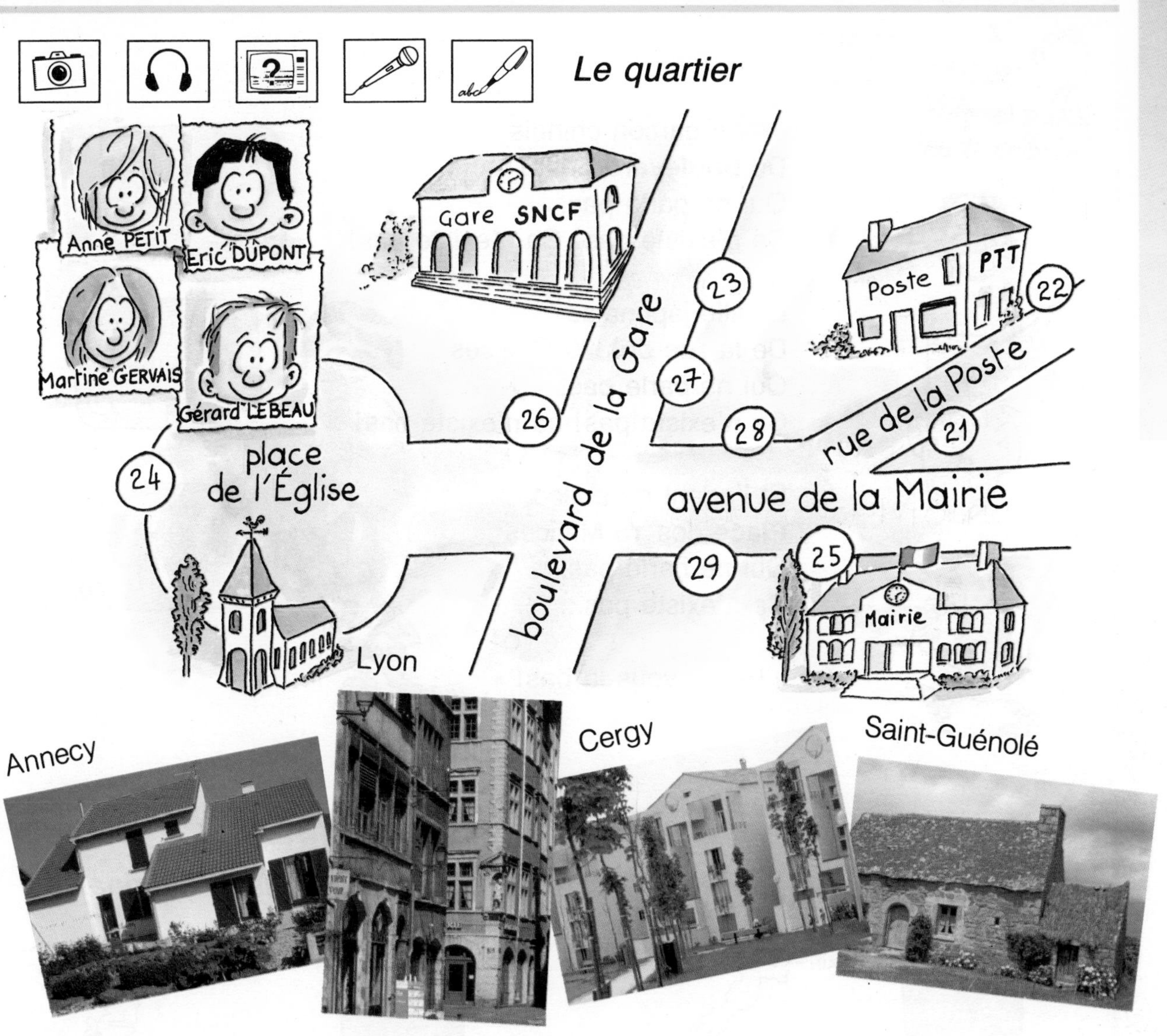

Oui, je m'abonne à TRAMPOLINE

Nom	LEBEAU	Nom	
Prénom	Gérard	Prénom	
Adresse	21 rue de la poste	Adresse	
Ville	LYON	Ville	
Code Postal	69007	Code Postal	95025
Pays	FRANCE	Pays	

SPECTACLES

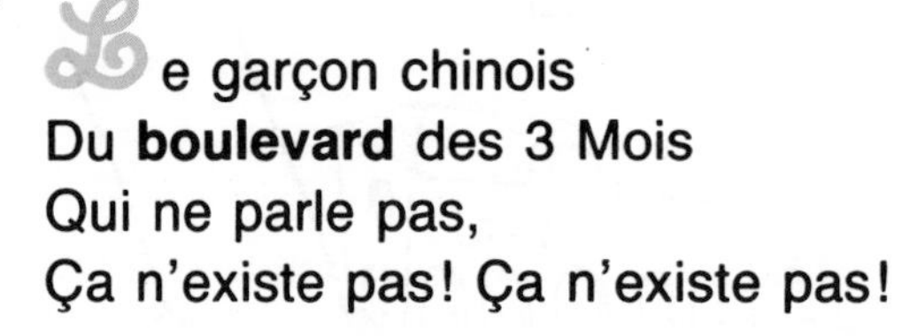

Le garçon chinois
Du **boulevard** des 3 Mois
Qui ne parle pas,
Ça n'existe pas! Ça n'existe pas!

La fille japonaise
De la **rue** des 20 Chaises
Qui ne parle pas,
Ça n'existe pas! ça n'existe pas!

Et l'agent de police,
Place des 18 Malices
Qui ne parle pas,
Ça n'existe pas...

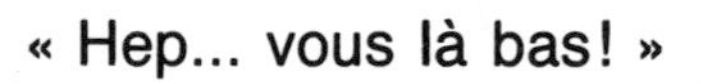

« Hep... vous là bas! »

Rébus : De quel pays? De quelle nationalité?

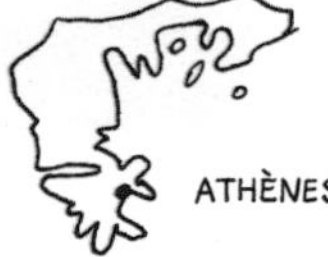

Elle parle  avec toi.

Je parle avec vous.

Allemagne	Espagne	États-Unis	Italie	Conseil de l'Europe	Grande-Bretagne	Australie	Grèce

Monopoly ville

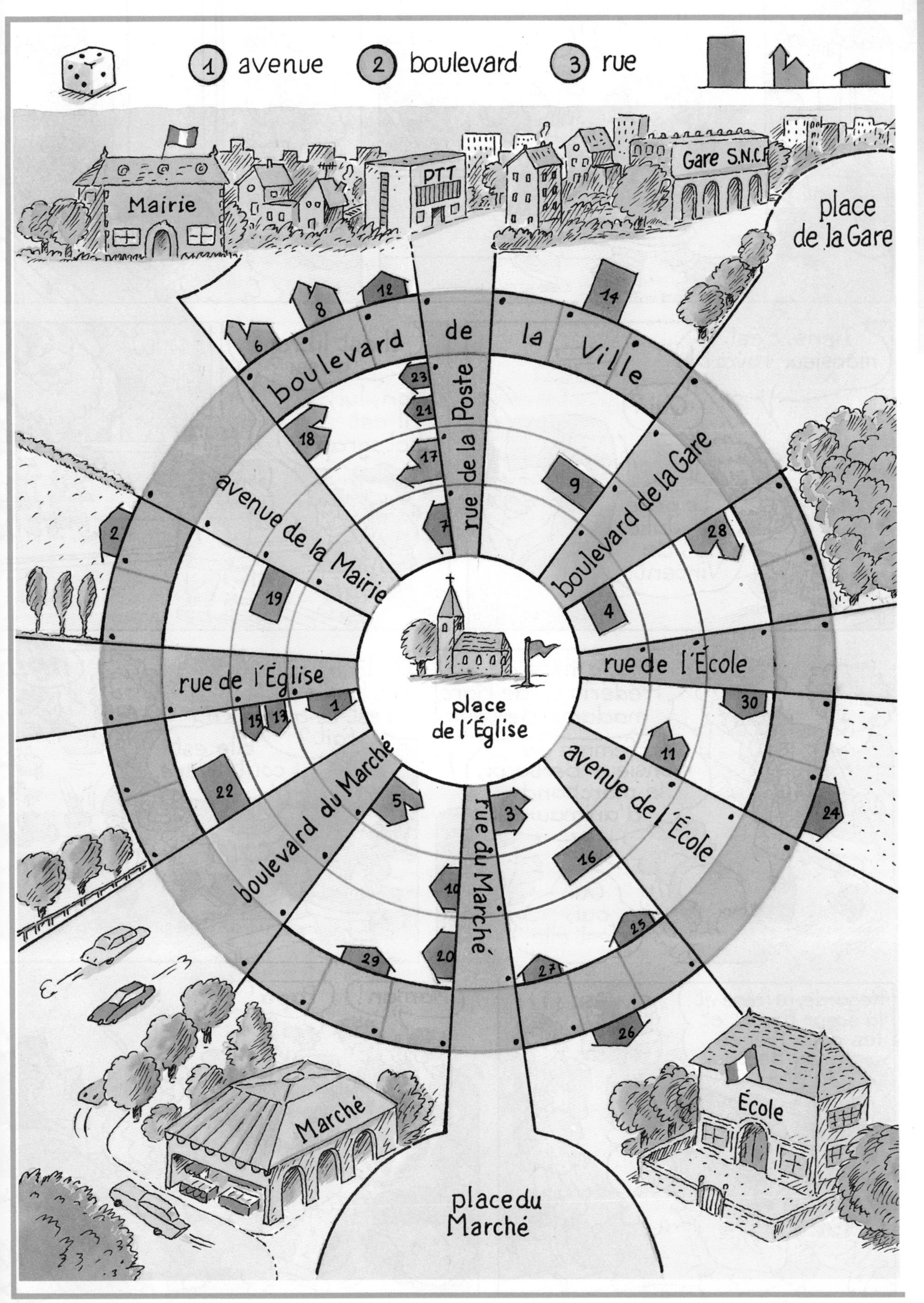

Il fait froid !

Papa! Maman!

Brrr...
il fait froid !..
Tiens, c'est monsieur Favart !
Qui ?
Le père de Julie et de Vincent.

Il est libraire aussi ?
Non, lui, il est photographe.

Voilà la mère de Frédéric et de Marc, madame Bertaux.
La femme de monsieur Bertaux, le marchand d'animaux ?
Oui, oui, c'est elle.

Oh, là, là, elle est bavarde ! Qu'est-ce-qu'elle fait ?
Elle est couturière.
hé !

Regarde, le frère et la sœur Favart et les deux frères Bertaux.

Maman !
Papa !

Enfants
frère
fils
fils
fille
sœur
Parents
mari
femme
père
mère

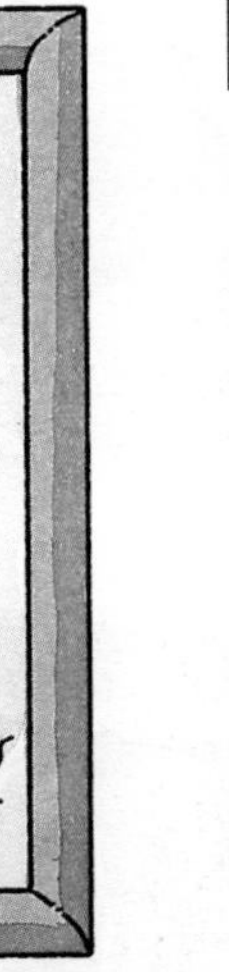

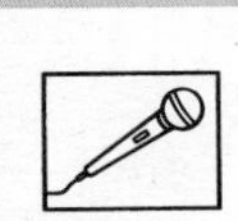

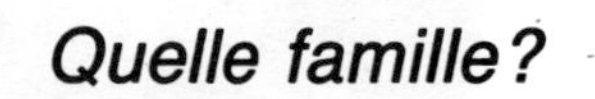
Quelle famille?

JOURNAL

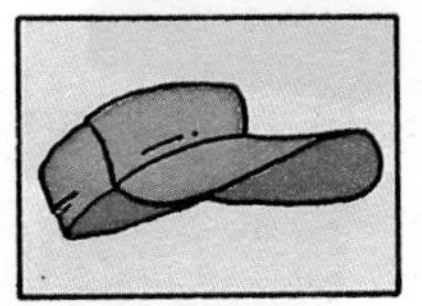

Et moi ?

Les métier

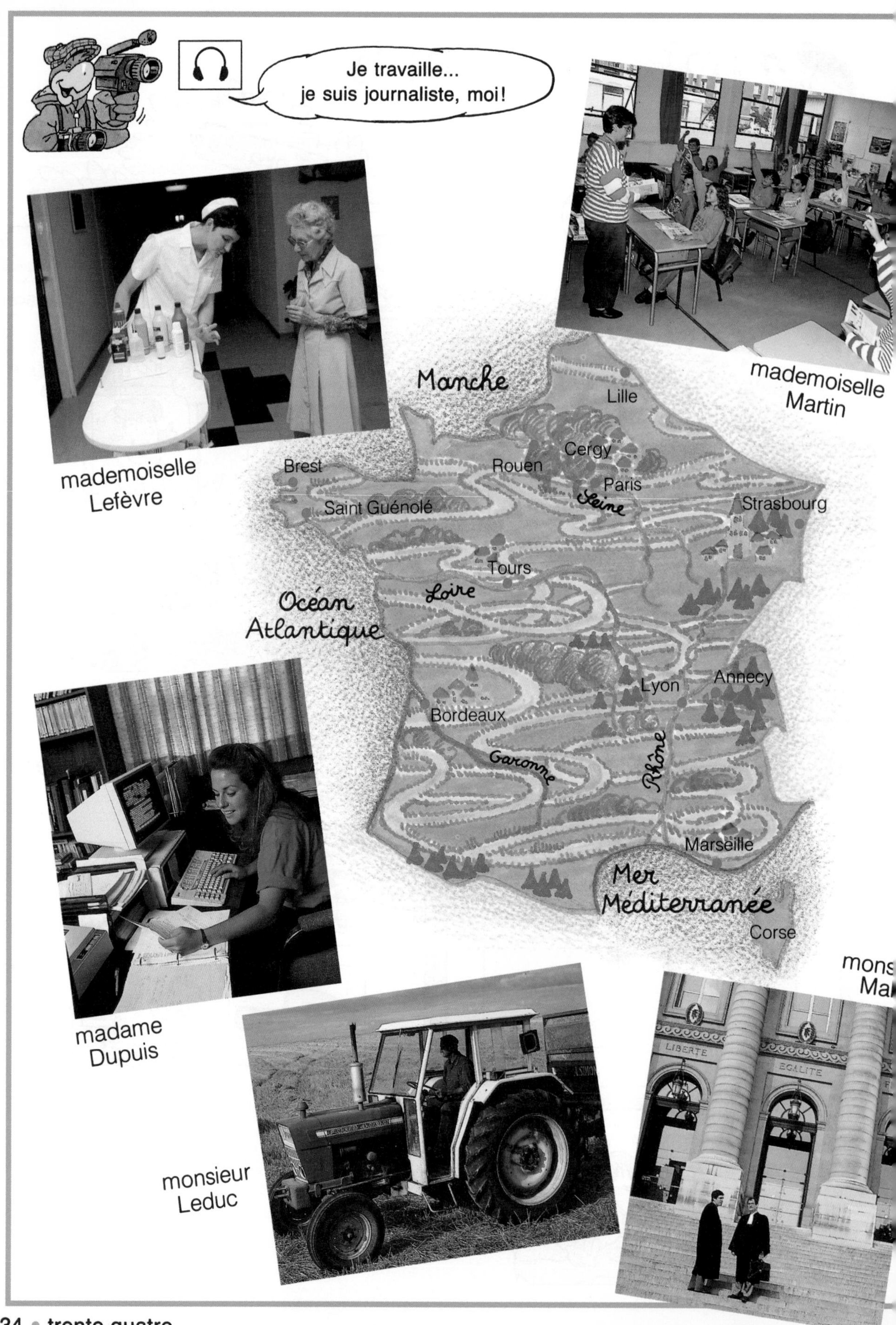

mademoiselle Lefèvre

mademoiselle Martin

madame Dupuis

monsieur Leduc

mons Ma

Vétérinaire
FLEURS
Médecine générale
Ordonnance
coiffure
Aïe!
Aïe!
DENTISTE
Merci
Bois
GARAGE
Réparations
Pharmacie

Le 25 décembre c'est Noël !

Joyeux Noël!

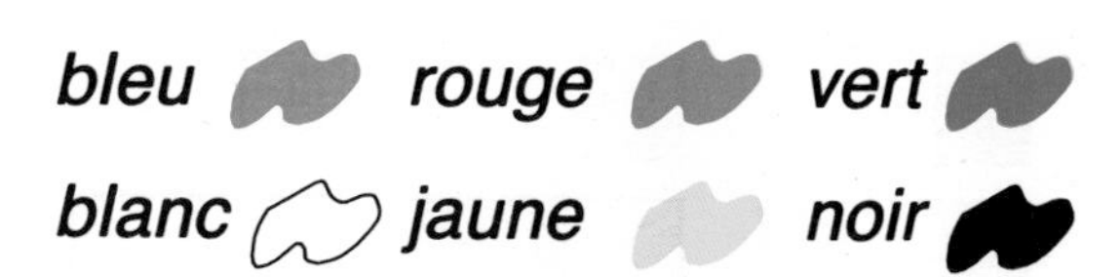

Un petit bonhomme
sur un encrier.
Quelle est la couleur
de son tablier?
rouge
As-tu du rouge sur toi?

Vincent ou Julie?

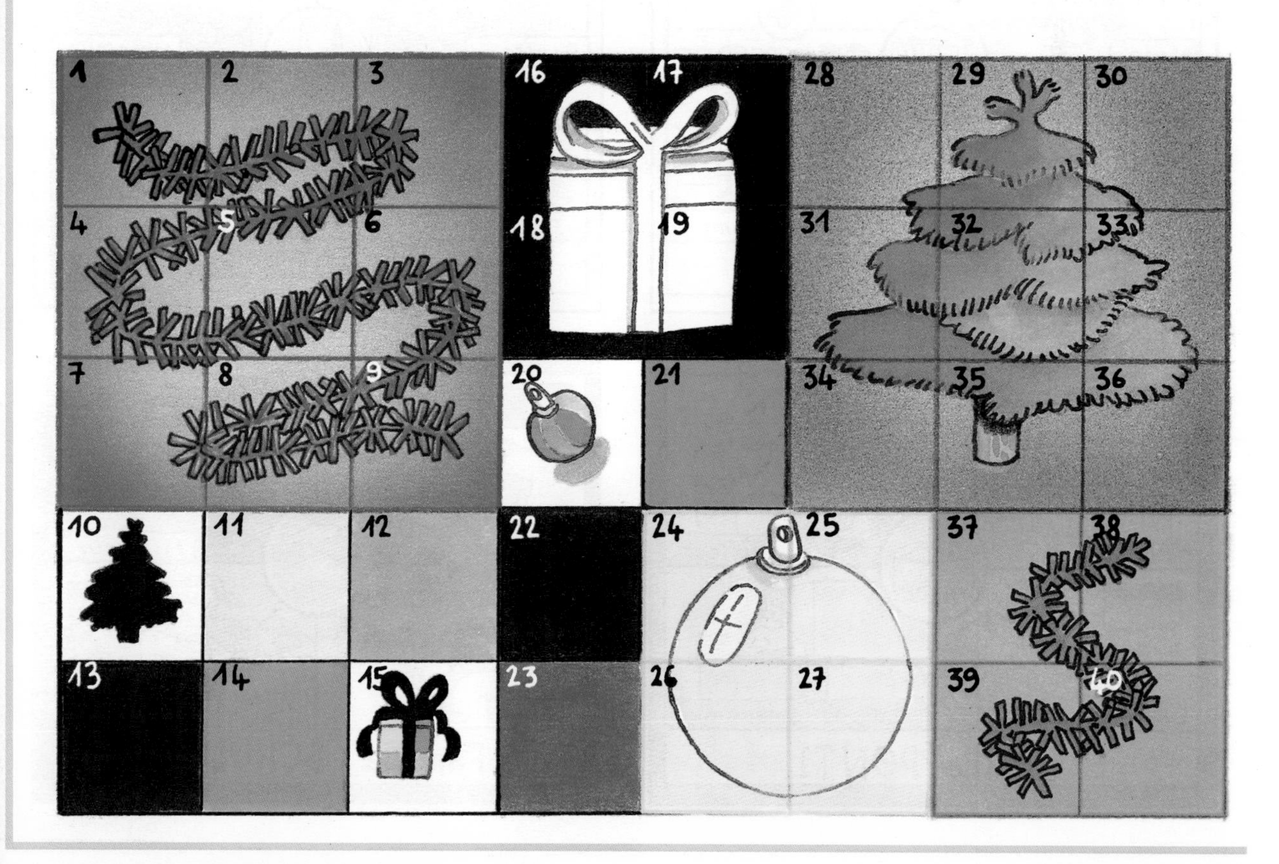

Familles d'Europe

Vive le **vent,** vive le **vent**
Vive le vent d'**hiver,**

. . . .

Boules de neige et jour de l'an
Et **bonne année** grand-mère!

(voir page 95)

Novembre gris.
Dans ma maison,
Il fait si bon
Il fait si doux,
Rentré
Comme un petit
Colimaçon.

A.M. Chapouton

Décembre blanc.
Dans mon pays,
Il fait si froid
Il fait si froid,
Dehors
Comme un grand
Glaçon.

Jako

Météo

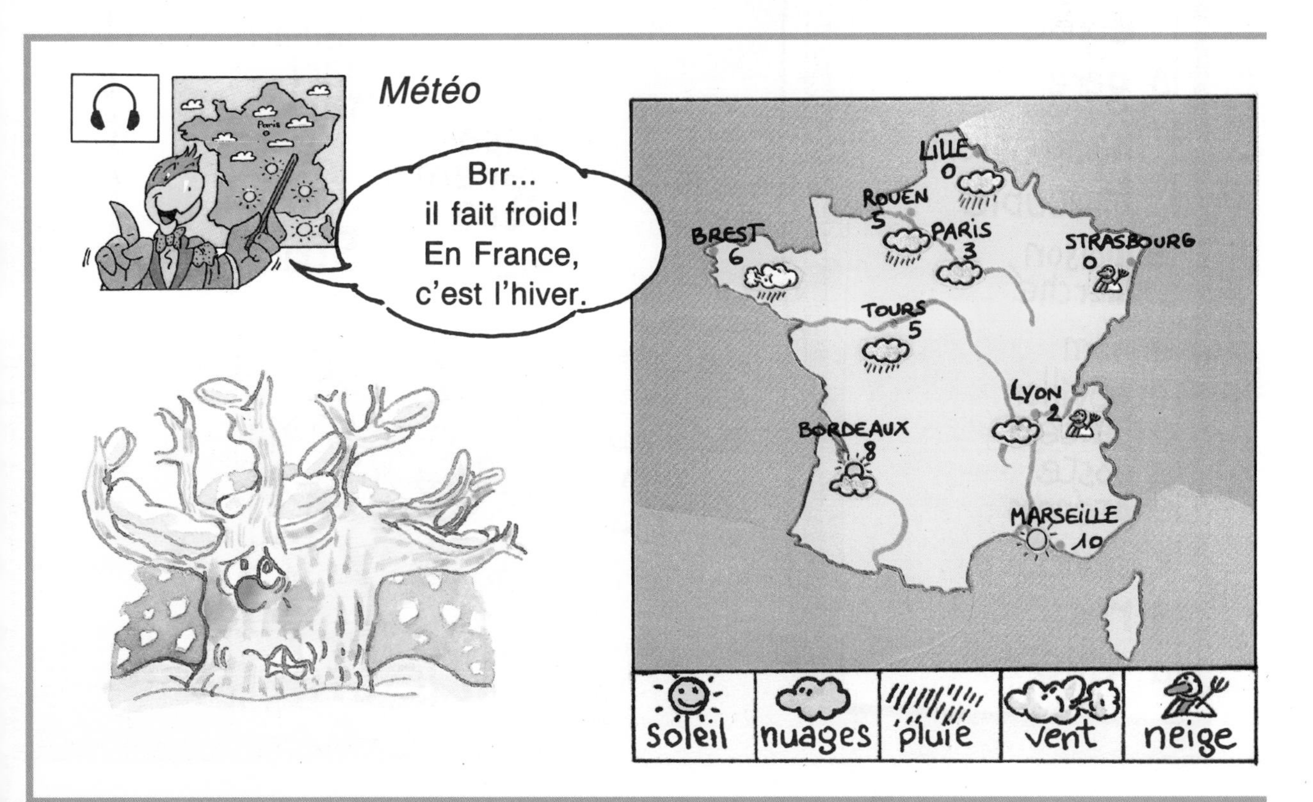

LE PETIT DICTIONNAIRE

TRAMPOLINE
3
B D
mercredi :
pas d'école
FRANÇAIS INFO
la page cuisine
REPORTAGE
manger
boire
JEU
SPECTACLES
chanson
LE PETIT
DICTIONNAIRE
du lait
Mars
Février
Janvier
Décembre

Allô, Vincent!

Bon d'accord, j'arrive, je viens, je viens avec vous...
Julie va au cours de musique.

LE GRAND BLEU
LA GUERRE DES ETOILES
BLEU
CINEMA MAJESTIC
CAISSE

Le soir
Vous allez au lit, maintenant, les enfants!
TWOW!
TWOW!
TWOW!

Ah non, ce n'est pas un trampoline! Vous allez au lit, maintenant, les enfants!
Bzzzoou
GROÄRRR

FRANÇAIS INFO

Vrai ou faux ?

Mercredi : un jour de la semaine

Qu'est-ce qu'ils font le mercredi?

Vive le roi !

La galette des rois

Chez madame Martin

Vous cherchez la grosse part hein?!
Je cherche la reine.
Tu cherches la petite part?
Elle cherche le roi.
Chut... Nous cherchons la fève.
Ils cherchent la fève.
Oh... 13 à table!

(1)
(2)
(3)
...on...
Chut...on...
13
?
..On...
...On...
...Je...
A
B
C

SPECTACLES

– **B**onjour, Madame **Lundi,**
Comment va Madame **Mardi**?
– Très bien, Madame **Mercredi,**
Dites à Madame **Jeudi,**
De venir **Vendredi,**
Danser **Samedi**
Dans la salle de **Dimanche!**

– **Bonjour,** monsieur.
Quel temps fait-il?

– C'est un beau jour!

– **Bonsoir,** monsieur
Quel temps fait-il?

– Il fait tout noir!

– **Bonne nuit,** monsieur.
Quel temps fait-il?

– Il fait tout gris.

– **B**on bain, monsieur?
Quelle heure est-il?

– C'est le **matin!**

VVVVVV
Viviane va vite sur le vélo vert.
Vive le vent. Vive le vent d'hiver.
VVVVVV

FFFFFF
Il fait froid. François, le photographe, fait des photos.
FFFFFF

La semaine chandelle

JEU

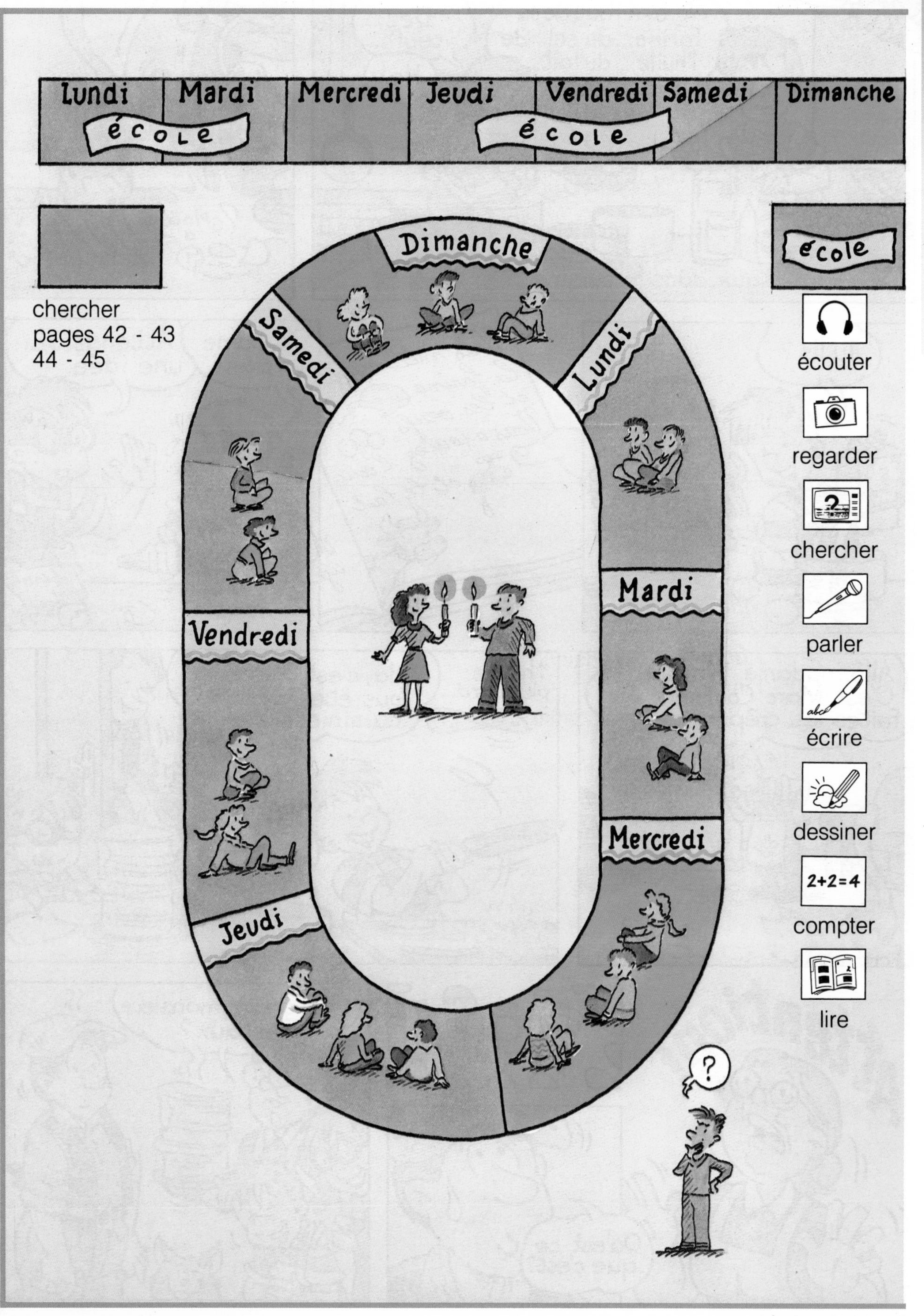

Une crêpe, monsieur Bertaux?

La page "cuisine"

et cherche...

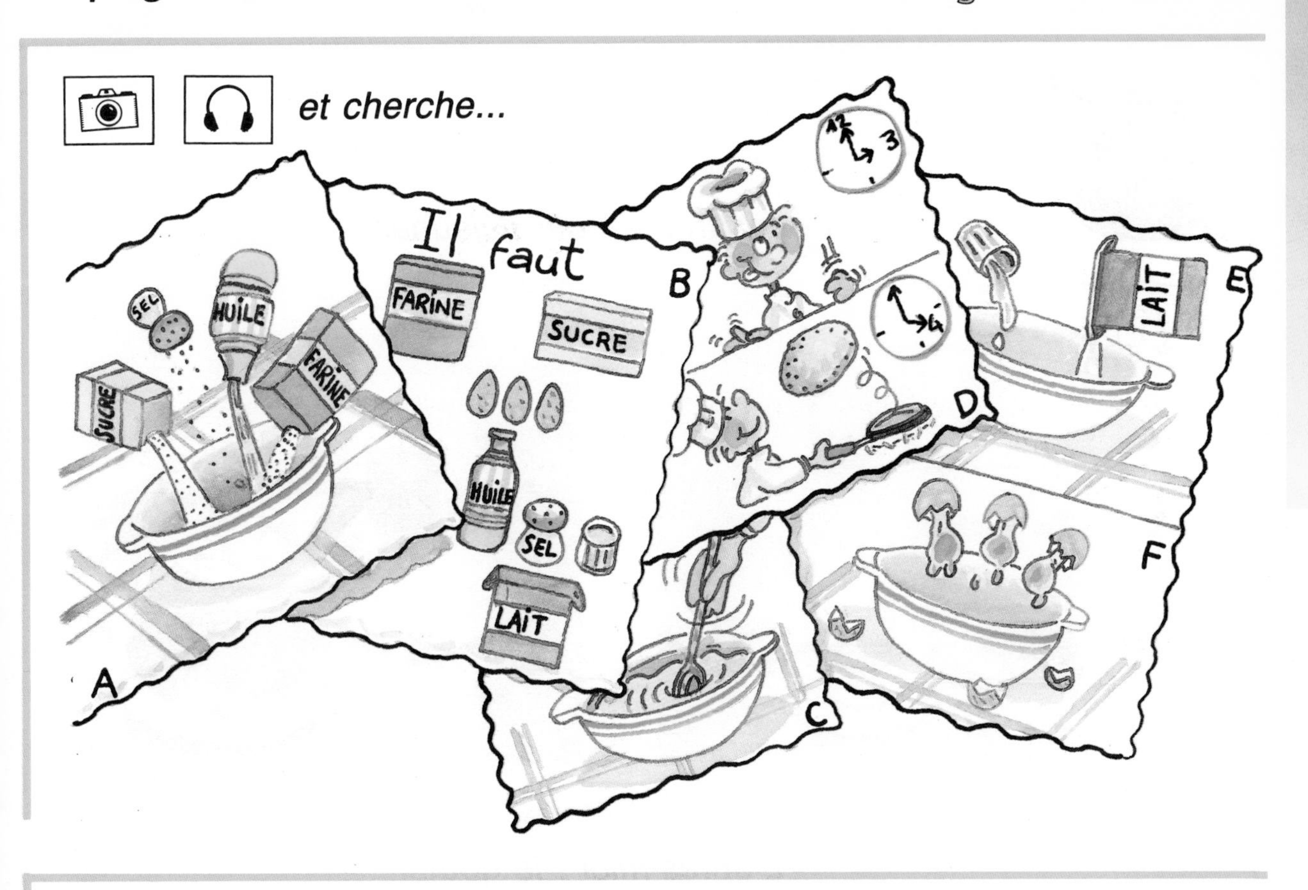

Qu'est-ce qu'il faut faire?

Le matin : le petit déjeuner

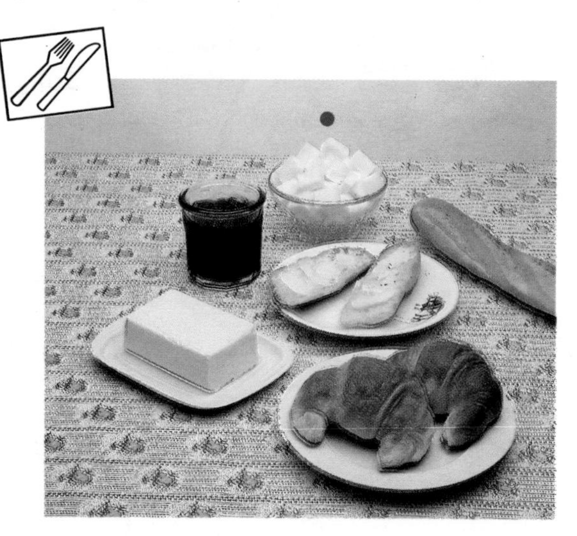

L'après-midi : le goûter

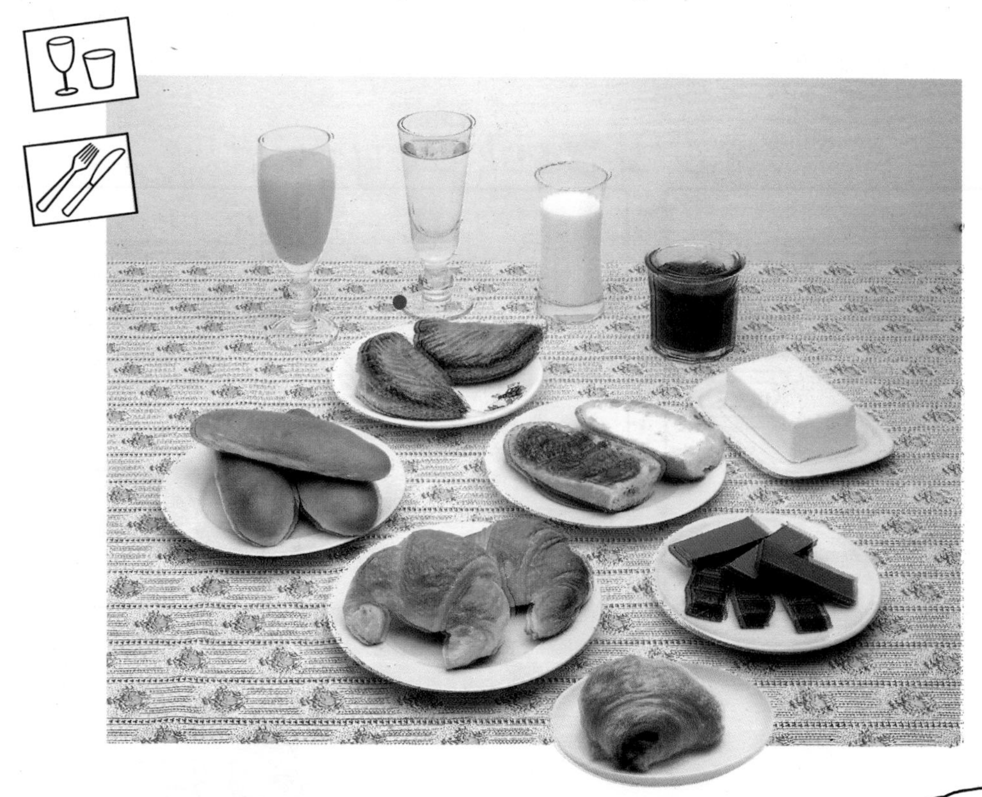

Et toi ?

Sur la table

Cherche... et Qu'est-ce qu'ils mangent?

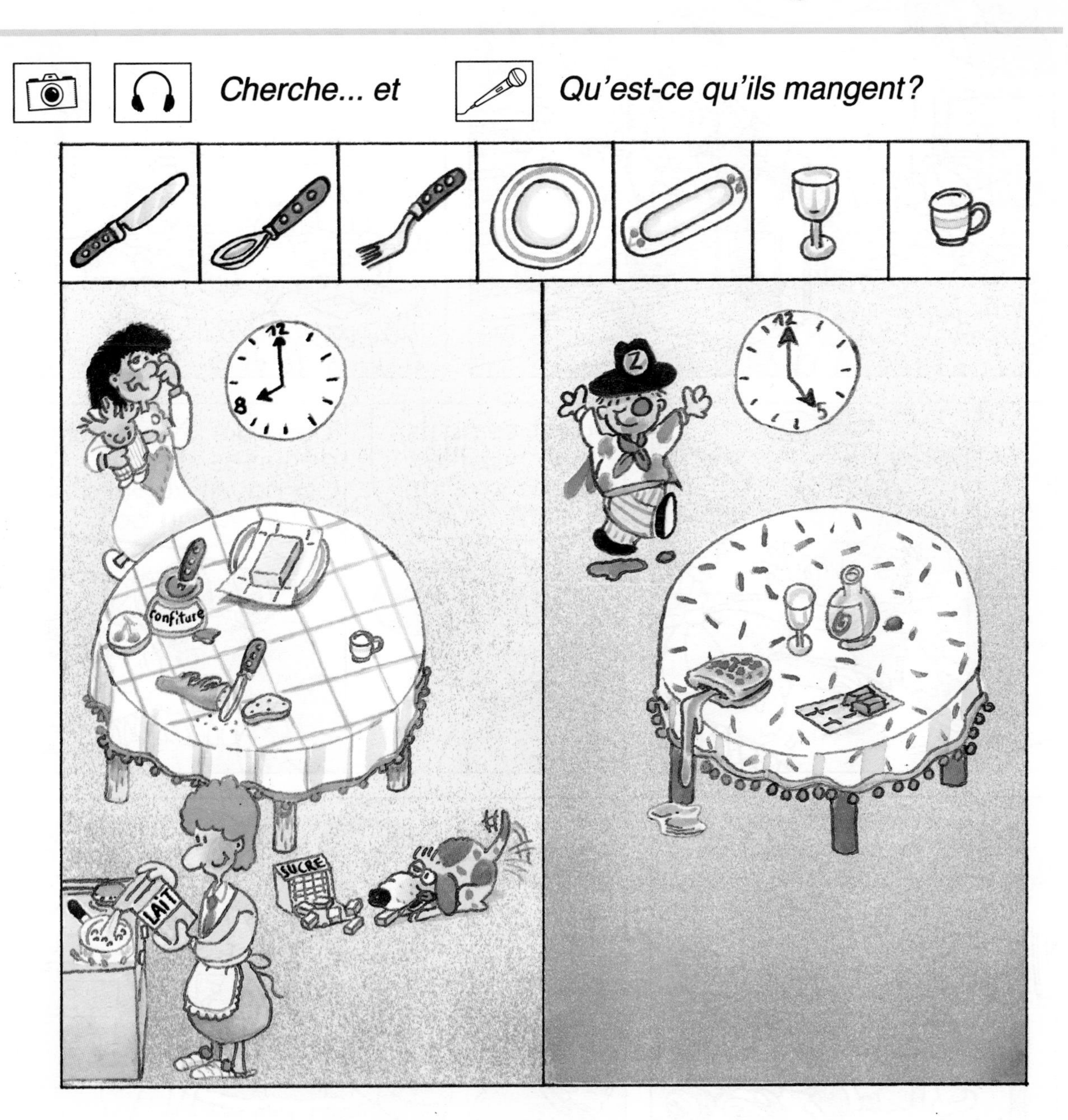

2+2=4

Une histoire gourmande... très gourmande!

Carnaval et sports d'hiver

La mode d'hiver

Regarde

Qu'est-ce qu'elle met?

La semaine des petits chevaux

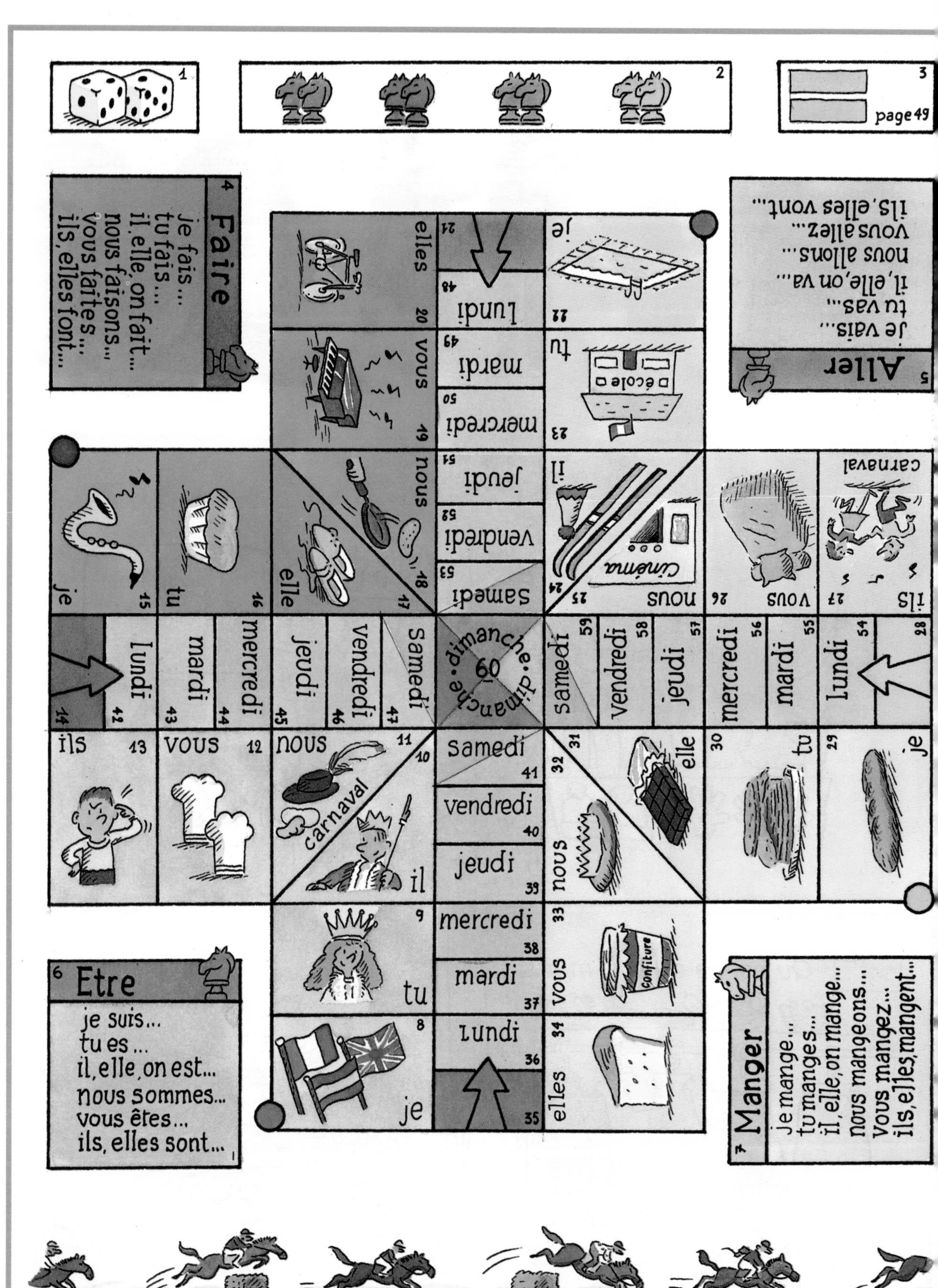

J'aime la **galette,**
Savez-vous comment?
Quand elle est bien faite,
Avec du **beurre** dedans.
Tralala...

Dans ma chambre
J'ai un grand lit...
(voir page 95)

Charlotte cherche le
Julien boit du
Chantal cherche la
Et Jacques mange la

Et moi, je mélange tout!
Et toi, tu cherches tout!

Météo

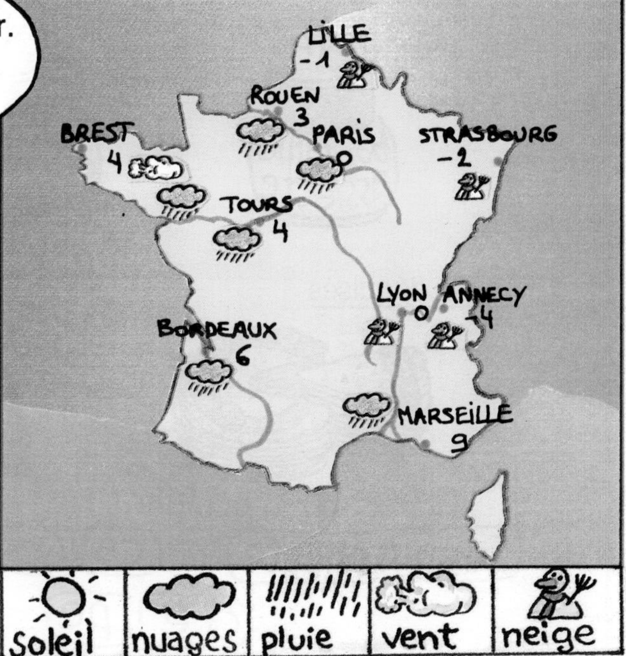

LE PETIT DICTIONNAIRE

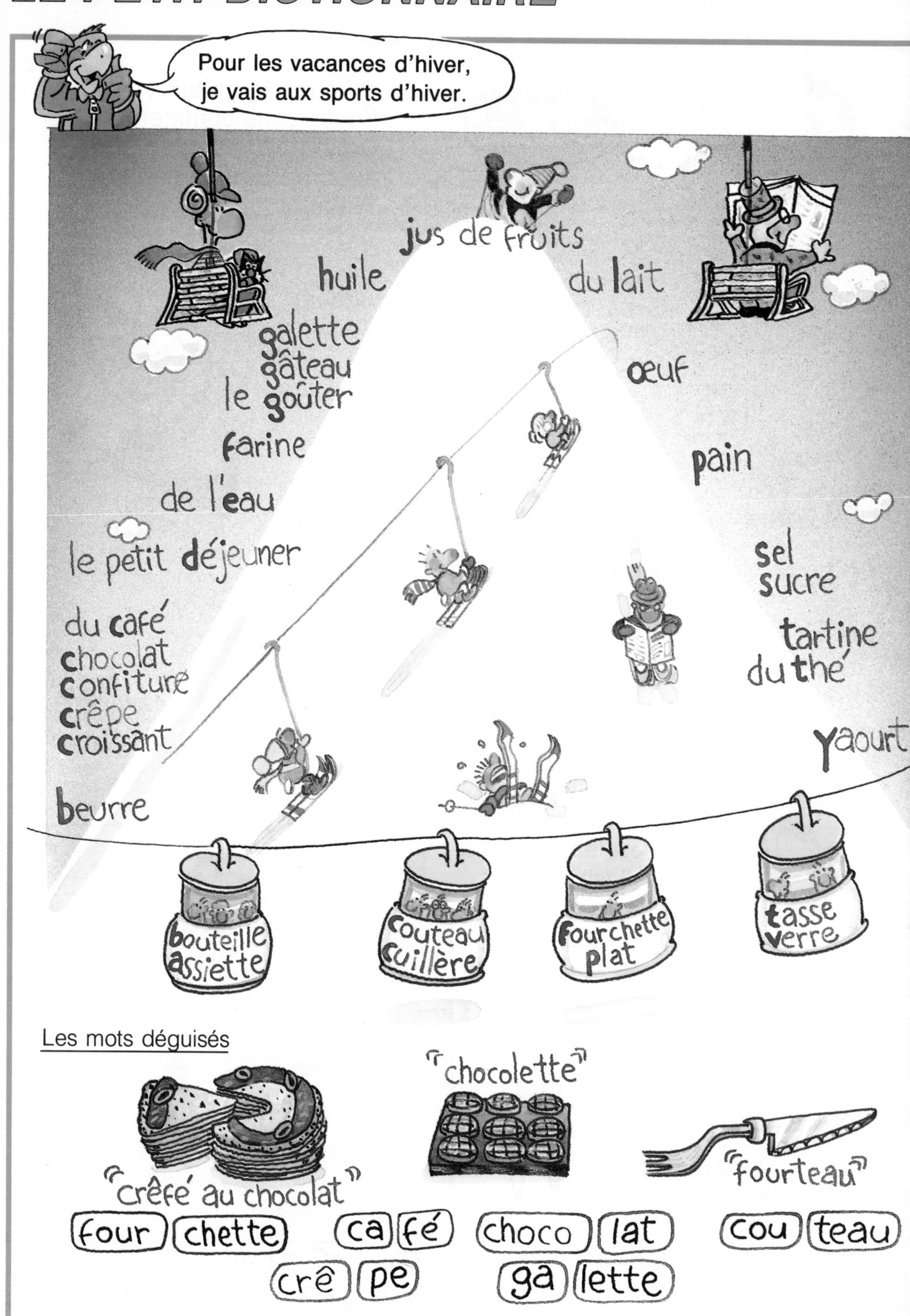

TRAMPOLINE
4
BD
un dessin?
un bonhomme?
FRANÇAIS INFO
attends!
REPORTAGE
les magasins
JEU
SPECTACLES
chanson
LE PETIT DICTIONNAIRE
mon corps
J'ai faim moi!
Janvier
Février
Mars
Avril
Mai

Où est Boudu ?

Un dessin? Un bonhomme?

C'est où la porte de la chambre ?

Dans le couloir
Pff... Il fait chaud ici !

Il entre dans la cuisine.
Mais dans quelle pièce je suis ici ?

Il sort de la cuisine. Il va au salon...
Oh là, là, il y a quelqu'un !

Oh pardon... Où sont mes lunettes ?

Là, sous le canapé, Gene.

Oh là, là ... J'ai peur !

FRANÇAIS INFO

Cache-tampon

  *Cherche où est le robot!*

 *Et le chat, qu'est-ce qu'il fait?*

L'intérieur de la maison

S'il vous plaît, madame...

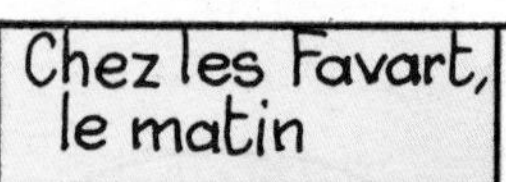

Allô, bonjour... Julie ? Oui, elle est là. C'est de la part de qui ? Epelez, s'il vous plaît. B... O... U... D... U... Boudu ? Attendez j'appelle Julie.

Regarde et cherche : il faut aider le dessinateur.

SPECTACLES

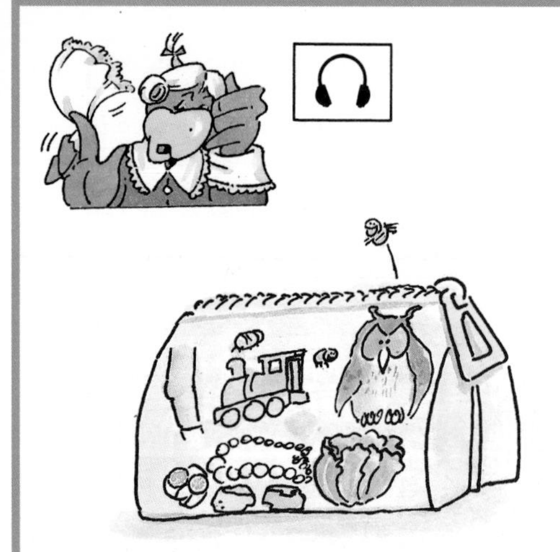

Sur le cahier de Manu,
J'ai tout vu... oui, tout vu!
Sur le livre de Zazou,
J'ai tout lu... oui, tout lu!
Dans le cartable de Manu,
Il y a tout... il y a tout!
Et dans la trousse de Zazou,
Il y a tout :
bijoux, cailloux, choux,
genoux, hiboux, poux,
joujoux.
C'est **fou!**

Stanislas, le fils de M. Dix,
Est un garçon polisson!
Clarisse, la fille de Double Six,
Est une fille pleine de malice!

Stanislas, le garçon polisson,
Saute sur le poisson!

Clarisse, pleine de malice,
Saute sur la police!

Près de Zouzou,
Thérèse joue bien
avec nous.

Loin de Bouzu,
Louise joue
avec la tortue.

À côté de Zabou,
Blaise joue très bien
avec vous.

Et **derrière** Bizu,
Élise ne joue plus!

Le jeu du téléphone

Il marche!

J'ai du rouge, du vert, du jaune...

L'après-midi, dans la chambre de Julie

Vincent, tu sais où est mon dessin?

Quels portraits 1, 2, 3, 4 ?

1	R L Bl Y_3 Gs Gd
2	F C Br Y_1 Gs Gd
3	F C Br Y_2 M P
4	R L Bl Y_2 M P

Fais ton portrait et celui de ta famille.

Qui dit la vérité ?

Moi, j'aime les petites boutiques et le marché!

Grand magasin

Au marché de Saint-Flou

FRANÇAIS INFO

Une fable : le rat des villes et le rat des champs.

Poisson d'avril!

Qu'est-ce qu'on mange? Pour le déjeuner ou pour le dîner?

Fais ton menu... et la boisson?

Ne pas s'arrêter!

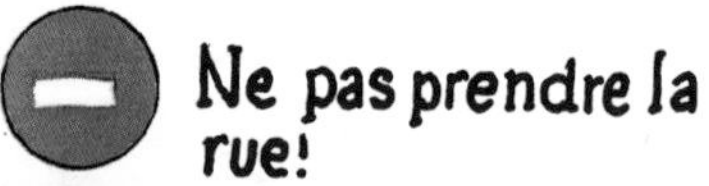

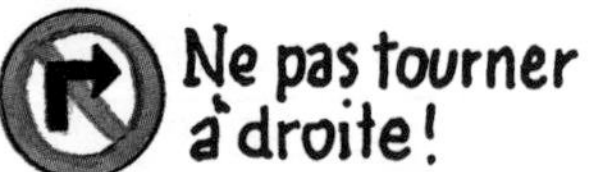

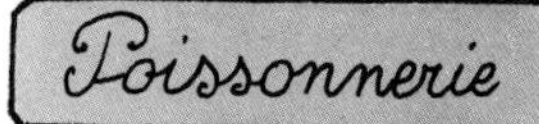

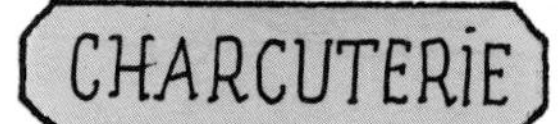

SUPERmarché

Savez-vous planter les choux,
À la mode, à la mode,
Savez-vous planter les choux,
À la mode de chez nous?
(voir page 96)

– Je voudrais du poisson.
– Très bien et comme boisson?
– Eh bien... un jus de citron.
– Et voilà, **gentil** garçon.

– Je veux une crêpe maman!
– Non, pas maintenant.
– Je veux une crêpe maman,
Avec du beurre dedans!
– Non, **méchant** enfant.

– J'ai faim,
J'ai très faim!
– Mange ta main
Et garde l'autre pour demain!

Le printemps

Un petit œil jaune,
tout jaune
– c'est la primevère,
la première.

Un petit œil blanc,
très franc
– c'est la pâquerette
mignonnette.

Un petit œil bleu,
malicieux
– c'est le myosotis
tout fleuri
c'est le myosotis
tout bleu!

A.M. Chapouton

Météo

C'est le printemps!
Il fait doux.
Il y a des fleurs.

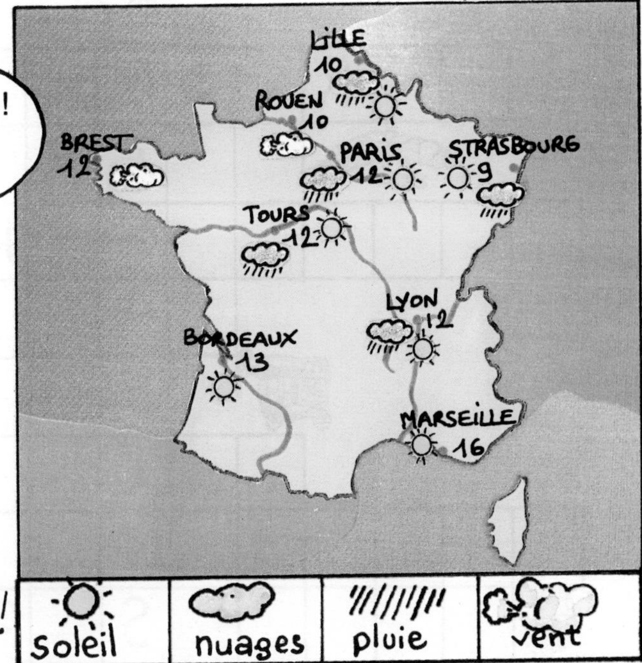

En avril, ne te découvre pas d'un fil!

LE PETIT DICTIONNAIRE

Je ne sais pas où aller pour les vacances de Pâques.

ma **b**ouche
bras
mes **c**heveux
mon **c**orps
cou
coude
dents
doigt
épaule
genou

ta **j**ambe
tes **m**ains
ton **n**ez
son **œ**il
oreille
pied
sa **t**ête
ventre
ses **y**eux

			R				M									
							A	R								
							G		R							
							A				R					
							S			R						
							I		R							
							N		R							
							S	R								

TRAMPOLINE
5
BD
départ
FRANÇAIS INFO
combien?
REPORTAGE
paysages de vacances
JEU
SPECTACLES
courrier des lecteurs
LE PETIT DICTIONNAIRE
tous les mots
Choco
Avril
Mai
Juin
Juillet
Août

Départ à la campagne

EPICERIE

A l'épicerie
Qu'est-ce que tu veux?
CHOCO

Euh... du gru... non, pas de gruyère ... le beau saucisson là, un peu de pâté, quelques fraises et 4 tablettes de chocolat, s'il vous plaît!
CHOCO

Ça fait combien ?

Alors 46F50 et 38F. 0... 5... 4 et je retiens 1... 5 et 3,8... Cela fait 84F et 50 centimes.

Le soir, à la gare, avant le départ du T.G.V

Ben quoi ... J'aime pas le gruyère, j'aime pas les pommes ... Je préfère le saucisson et le chocolat...
C'est grave?

FRANÇAIS INFO

Ping et Pong vont à la campagne. Écoute - Regarde et cherche...

Qui aime ♡ ?   Qui n'aime pas ⚡ ?

♡♡♡ J'aime beaucoup
♡♡ J'aime
♡ J'aime un peu

⚡⚡⚡ Je n'aime pas du tout
⚡⚡ Je n'aime pas beaucoup
⚡ Je n'aime pas

Je préfère

Le domino du pâté : Écoute - Fais le jeu et joue.

Jeu de mime : On joue à l'ambassadeur avec tout ça!
Qu'est-ce que tu veux?

L'école est finie

Sur le chemin du retour.

Écoute - Regarde - Lis... et retrouve tout!

Janvier	Février	Mars	Avril	Mai	Juin
1 M Jour de l'an 6 D	2 S 12 M 15 V Vacances d'hiver	3 D 21 J PRINTEMPS 31 D Pâques	1 L 21 D Vacances de printemps	1 M 5 D 8 M Victoire 1945 9 J Ascension 19 D Pentecôte 20 L	21 V ÉTÉ

Juillet	Août	Septembre	Octobre	Novembre	Décembre
7 D Vacances d'été 14 D Fête Nationale	15 J Assomption	8 D 23 L AUTOMNE	27 D	1 V Toussaint 3 D 11 L Armistice 1918	Oh là là ! C'est mon anniversaire ! 13 V 22 D HIVER 25 M Noël Vacances de Noël

Trampolino, trampolino
Tapez dans les mains
Sautez à pieds joints
Trampolino, trampolino
Qui sautera le plus haut?

(voir page 96)

Lundi, la vache dit à la brebis :
« Eh, buvons du vin.
Eh, prenons un bain. »
Mais la brebis est partie!

Mardi, la poule dit à la brebis :
« Ne tombe pas trop bas.
Ne va pas là-bas. »
Mais la brebis est partie!
... ...

Samedi, la pie dit à la brebis :
– Tu goûtes à mon gâteau?
Tu viens dans mon bateau?
– Ah oui! Quand? dit la brebis.
– Quand les poules auront des dents...!

Araignée du soir,
... espoir.
Araignée du matin,
... chagrin.

Une pie,
Tant pis!
Deux pies
Tant mieux :
Mariage heureux!

Qui vient tous les matins,
Dans mon jardin,
Manger des carottes et du pain?
– C'est le lapin.
Qui vient l'après-midi,
Dans mon petit nid,
Manger sur mon tapis?
– C'est la pie
Qui me dit :
« Bon appétit! »

L'enquête de l'inspecteur « Qui, quoi, où... »

Tous en colo!

Vite, vite, le rendez-vous est à 8h
RIE . PAPET
LIRE
Vite, vite, dépêchez-vous. C'est à quelle heure le rendez-vous ?

À 8h à la gare de Lyon.
C'est tôt, c'est trop tôt

Bonnes vacances les enfants ! Vous allez où ?

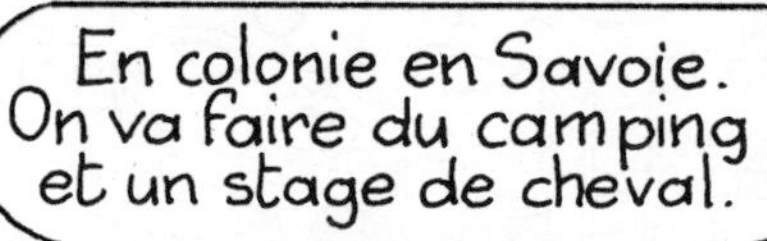
En colonie en Savoie. On va faire du camping et un stage de cheval.

Amusez-vous bien !
Faites attention !

Et écrivez-nous !
Bon voyage !

L'emploi du temps

Une journée d'école de Mathieu : Écoute - Regarde et raconte ta journée.

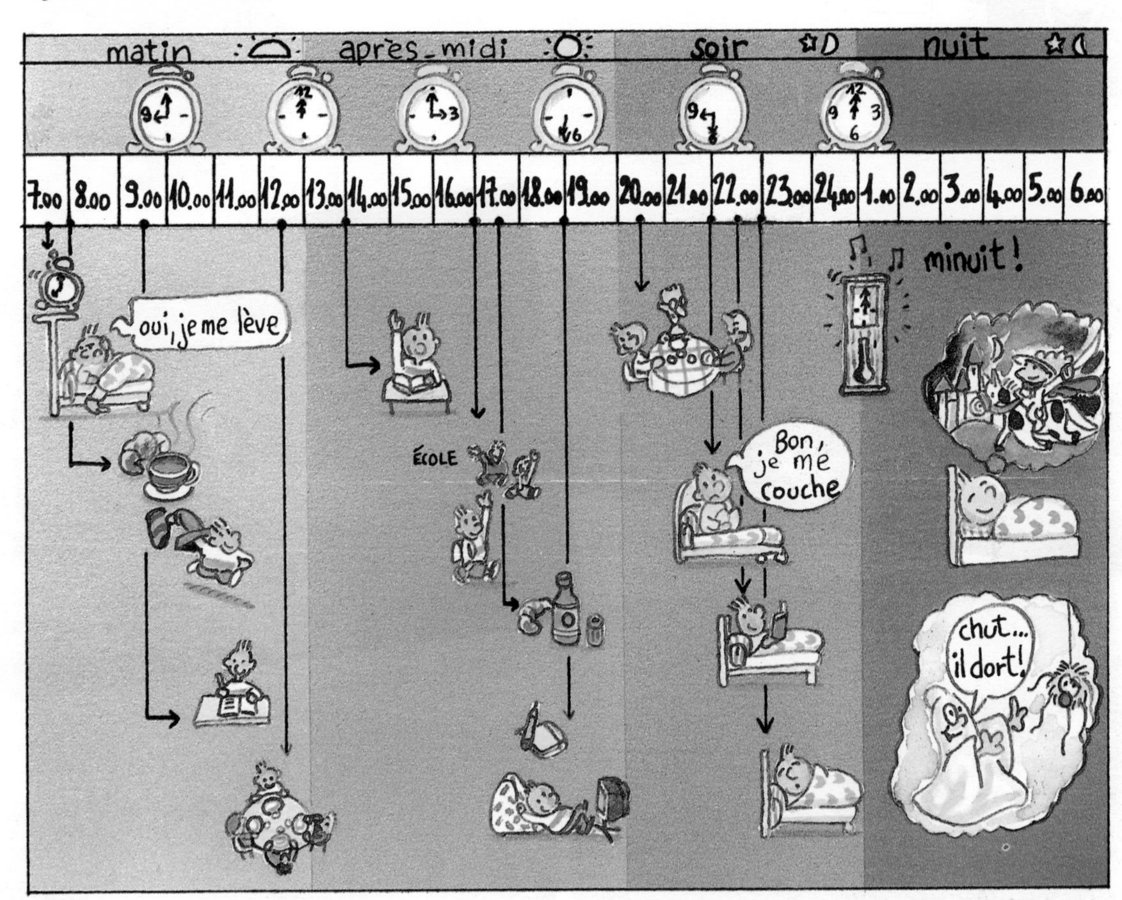

100... Bingo ! On joue au loto ?

80	81	82	83	
60	10	50	38	
2	54	13	25	71
40	21	31		41
30	6	14	24	
	37	19		74
49		53	0	76
90	91		92	93

		84	85	86
42	17	20	64	7
32	1	45		35
78	55	51	16	36
22	48	26	11	9
68	65	44	59	4
72	75	39	61	27
	94	95	96	

	87	88	89	
52	46	62		8
34	3	12	69	77
63	23	33	70	18
	28	43	29	79
57	66	15	56	5
	58	47	67	73
97	98	99		100

REPORTAGE

Paysages de vacances

Normandie - 1

Alsace - 4

Bretagne - 2

Savoie -

Touraine - Château de Chambord - 3

Languedoc-Roussillon - 6

Les moyens de transport : Regarde les photos, écoute et cherche...

Ah... les vacances!

Cartes postales

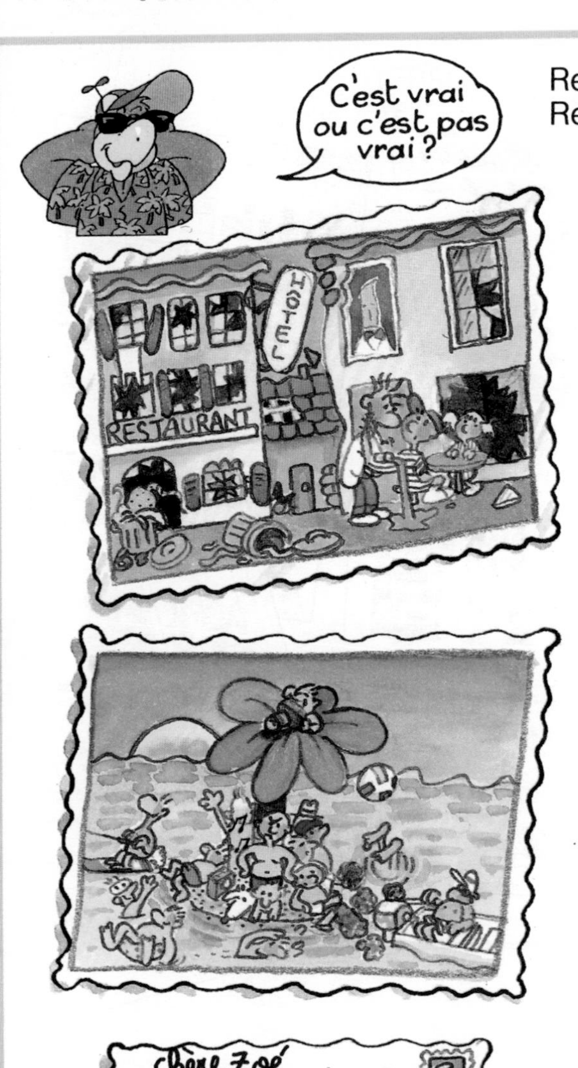

Regarde les cartes - Lis.
Retrouve la bonne carte.

Chère Zoé,
Je suis sur une île déserte.
C'est très calme ! Je suis très content.
A bientôt Paul

Mme Dupont
40, rue Chaude
41500 MER
France

Cher Paul
Nous sommes dans un hôtel splendide ! Il fait très beau.
Le garçon du restaurant est très gentil. Bises
Zoé et Georges

M. P. Dubois
1, Avenue de la mer
34099
Montpellier

Écris la carte postale.

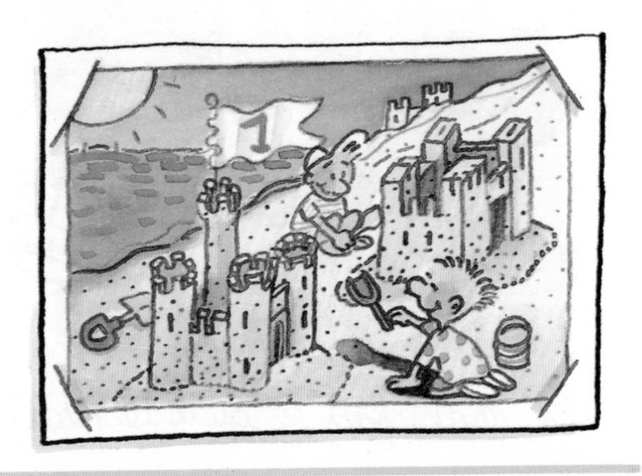

JEU

Méli mélo de jeux

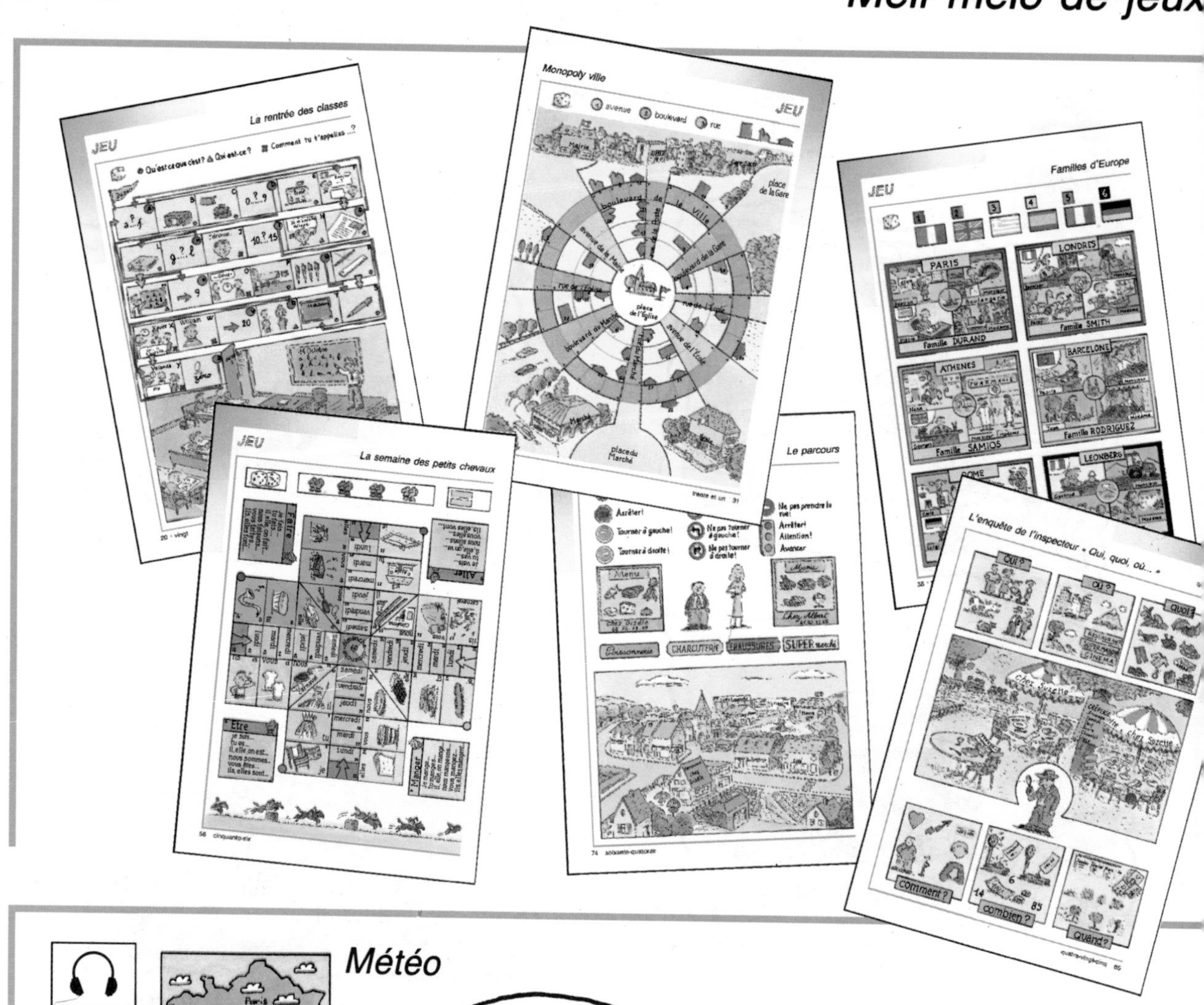

Météo

C'est bientôt l'été!
Il va faire chaud.
À quelle heure
on va à la plage?

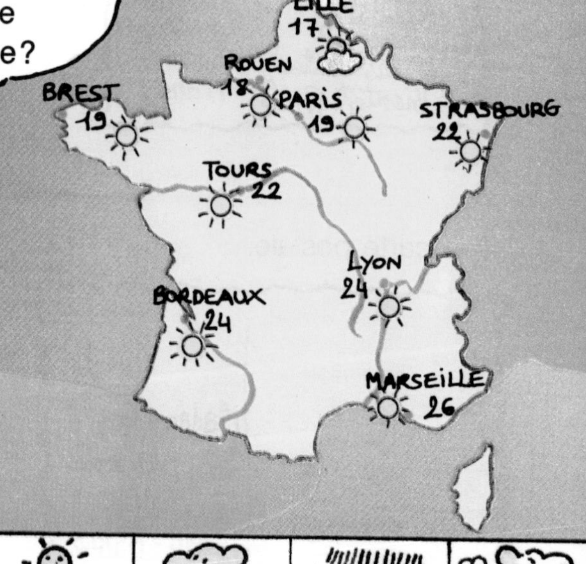

En mai, fais ce qu'il te plaît!

COURRIER DES LECTEURS

Cher Jako,
J'aime bien ton journal. Maintenant, je comprends et je parle un peu français.
Mes parents sont contents
A bientôt. Grosses bises
Peggy (Angleterre)

Bonjour Jako,
Au mois d'août, je vais en France avec mon frère. Je vais parler pour lui dans les magasins. Je voudrais voir la Cité des Sciences. Qu'est-ce-que tu veux de mon pays? Bonnes vacances.
João (Portugal)

Mon cher Jako,
J'ai une petite soeur. Elle a 6 ans. Elle veut lire ton journal. C'est drôle, non? Mon père lit avec moi toutes les histoires. On s'amuse bien.
Je t'embrasse.
Pavlos (Grèce)

Cher Jako,
Quand viens-tu dans mon école? J'ai 9 ans. J'aime la musique et les animaux. Je suis très gourmande aussi. Je m'appelle Ingrid, je suis allemande et j'habite à Berlin.
A bientôt,
Ingrid. (Allemagne)

Viens sur le TRAMPOLINE

Refrain :

Viens sur le trampoline...
Pour sauter,
S'amuser
Et s'envoler!
Viens sur le trampoline
Faire des bonds,
Des rebonds,
Comme un ballon!

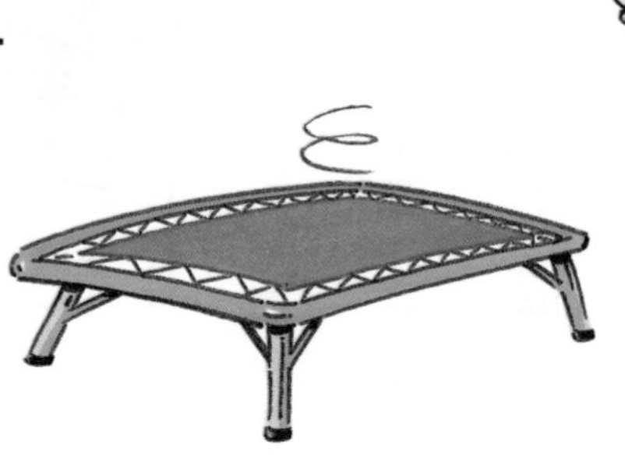

Au 21 de la rue d'Alésia,
Tout en haut,
Tout en bas,
Il y a
Une tortue, un oiseau et deux chats,
Des enfants,
Des mamans
Et des papas.

Refrain

Au 21 de la rue d'Alésia,
Tout en haut,
Tout en bas,
Il y a
Julie, Vincent et leur chienne Médora,
Qui aboie
Sous les toits
Ouah! Ouah! Ouah! Ouah!

Refrain

Au 21 de la rue d'Alésia,
Tout en haut,
Tout en bas,
Il y a
Marc, Frédéric les jumeaux rigolos
Et Mini
Et Mina
Les jumeaux chats!

Refrain

Au 21 de la rue d'Alésia,
Tout en haut,
Tout en bas,
Il y a
Un perroquet qui ne s'arrête pas :
Patati!
Patati!
Et patata!

Refrain (bis)

Paroles, musique
et interprétation :
Pierre Lozère

VIVE LE VENT

Vive le vent, vive le vent
Vive le vent d'hiver
Qui s'en va sifflant soufflant
Dans les grands sapins verts
Oh... vive le temps, vive le temps
Vive le temps d'hiver
Boules de neige et jour de l'an
Et bonne année grand-mère!

Joyeux, joyeux Noël
Aux mille bougies
Quand chantent vers le ciel
Les cloches de la nuit

Vive le vent, vive le vent
Vive le vent d'hiver
Qui rapporte aux vieux enfants
Leurs souvenirs d'hier.

Paroles françaises : Francis Blanche
Musique : Rolf Marbot
Interprétation : Pierre Lozère

DANS MA CHAMBRE

Dans ma chambre j'ai un grand lit,
Un lit tendre en bois vernis

Où je m'endors, quand j'ai sommeil
La boîte à musique sur mon oreille... *(bis)*

Dans ma chambre j'ai un bureau,
Une lampe et une belle auto

Qui tourne en rond sur le circuit
Et qui s'arrête quand je lui dis. *(bis)*

Dans ma chambre j'ai un copain
Qui m'attend toujours dans un coin

Et quand je tire sur la ficelle
Ses bras s'agitent comme des ailes,
Et quand je tire sur la ficelle
Ses bras s'agitent... c'est polichinelle.

Paroles : Bernar Fransoi
Composition et interprétation : Pierre Lozère

SAVEZ-VOUS PLANTER LES CHOUX?

Refrain :

Savez-vous planter les choux,
À la mode, à la mode,
Savez-vous planter les choux,
À la mode de chez nous?

On les plante avec le doigt,
À la mode, à la mode,
On les plante avec le doigt,
À la mode de chez nous.

Refrain

On les plante avec le nez,
À la mode, à la mode,
On les plante avec le nez,
À la mode de chez nous.

Refrain

On les plante avec le coude,
À la mode, à la mode,
On les plante avec le coude,
À la mode de chez nous.

Refrain

Interprétation : Pierre Lozère

TRAMPOLINO

Refrain :

Trampolino, Trampolino
Tapez dans les mains
Sautez à pieds-joints
Trampolino, Trampolino
Qui sautera le plus haut?

J'ai vu deux kangourous
Passer devant chez nous
Avec leurs enfants caoutchouc
Ils sortaient du zoo
Avec leurs sacs à dos
Pour faire un tour dans le métro

Refrain

Sur le dos de mon chien
J'ai vu de bon matin
Une puce faire du tremplin
Je lui ai demandé
Où elle comptait aller
Elle m'a piqué le bout du nez!

Refrain (3 fois)

Paroles, musique et interprétation : Pierre Lozère

N° d'Éditeur : 10053243 - (XIII) - (159) - CSBGP - 80° - Janvier 19
Imprimerie **Jean-Lamour**, 54320 Maxéville - N° 99010061
Imprimé en France